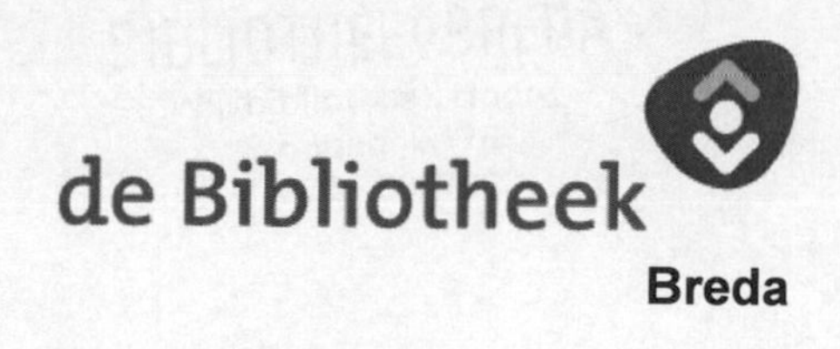
de Bibliotheek
Breda

D0833912

DE WILDE
VOETBAL
BENDE
TM

De Wilde Voetbalbende

1 Leon de slalomkampioen
2 Felix de wervelwind
3 Vanessa de onverschrokkene
4 Joeri het eenmans-middenveld
5 Deniz de locomotief
6 Raban de held
7 Max 'Punter' van Maurik
8 Fabian de snelste rechtsbuiten ter wereld
9 Josje het geheime wapen
10 Marlon de nummer 10
11 Jojo die met de zon danst
12 Rocco de tovenaar
13 Marc de onbedwingbare

Joachim Masannek

Superteam!

met tekeningen van Jan Birck

Uitgeverij Ploegsma Amsterdam

Kijk ook op
www.ploegsma.nl
www.wildevoetbalbende.nl

ISBN 978 90 216 6847 5 / NUR 282/283
Dit boek is een bundeling van 'Joeri het eenmans-middenveld', 'Deniz de locomotief' en 'Raban de held'
Titel oorspronkelijke uitgaven: 'Die Wilden Fußballkerle – Juli die Viererkette', 'Die Wilden Fußballkerle – Deniz die Lokomotive' en 'Die Wilden Fußballkerle – Raban der Held'
Verschenen bij: Baumhaus Buchverlag, Frankfurt am Main 2002

Vertaling: Suzanne Braam
Omslagontwerp: Studio Rietvelt

Uitgeverij Ploegsma drukt haar boeken op papier met FSC-keurmerk. Zo helpen we waardevolle oerbossen te behouden.

Inhoud

Joeri het eenmans-middenveld

Deniz de locomotief

Raban de held

PAT

In het rijk van de schemering

Hé! Stil eens even. Ja, zo is het goed.

Nou? Wat is er? Hoor je het niet?

Ik bedoel die stilte. Geen zuchtje wind, geen dier, geen mens...

Dit is mijn rijk. Een stukje bos aan de rand van deze buitenwijk, waar ik woon. In het bos ligt de ruïne van een kasteel. Dit is mijn bos, het woud van Joeri 'Huckleberry' Fort Knox, het viermanschap op het middenveld in één persoon, oftewel: het eenmans-middenveld. Weet je nou nog niet wat 'Huckleberry' betekent? Dat wordt dan de hoogste tijd.

Maar wees op je hoede en zoek een veilige plek in je kamer, het liefst met je rug tegen de muur. En hou altijd een zaklamp bij de hand. Want dit verhaal brengt je in een soort kabelbaan over een diep en smal ravijn, waar geen daglicht komt. Het verhaal is als een munt met twee totaal verschillende kanten. De ene kant staat voor Avontuur en Geluk. Ik bedoel het geluk dat je voelt als je je eigen angst overwint. Maar de andere kant staat voor Mislukking en Ondergang. Dat gebeurt als je te veel risico's neemt en je de angst die je waarschuwt niet wilt horen, voelen of zien. Maar hoe hou je die twee uit elkaar?

Ik gooide mijn munt hoog de lucht in. In het licht van mijn zaklamp viel hij zo snel draaiend naar beneden dat ik er duizelig van werd. Toen ketste hij tegen een tak. Hij veran-

derde van richting en belandde op de fundamenten van de ruïne, die zich dreigend boven me verhief.

Ik lag in het donker met mijn hoofd op het mos en keek naar de ochtendhemel, waaraan de sterren nu verbleekten. De sterren hadden net nog fel geschitterd, als de munt in het licht van de zaklamp.

Ik haalde diep adem en strekte mijn armen zo ver mogelijk naar links en rechts uit. Toen deed ik mijn ogen dicht en blies mijn adem heel langzaam uit. Ik probeerde te voelen aan welke kant van de munt ik thuishoorde.

Links van me sliep de rustige buitenwijk van Amsterdam, de wereld van de Wilde Voetbalbende en die van mijn moeder. Rechts stak dreigend en zwart de ruïne af tegen de hemel alsof hij de ochtend wilde verduisteren. Een eindje verderop stonden drie torenflats. Ze zagen er oud en verwaarloosd uit. Daar woonden Dikke Michiel en zijn Onoverwinnelijke Winnaars. En mijn vader ook, daar was ik van overtuigd.

Maar niemand ging uit eigen vrije wil naar de torenflats. Het stuk bos verborg onze wereld voor de wereld van Dikke Michiel en zijn *gang*. Eigenlijk was het bos voor ons al taboe. We noemden het niet voor niets het 'Donkere Woud'. Dat ik hier was, was mijn allergrootste geheim. Ik durfde hier alleen 's morgens heel vroeg te komen, vlak voor het licht werd.

Ik sprong op. Omdat mijn hoofd vol gedachten zat, had ik de naderende voetstappen te laat gehoord. Ik zag donkere schaduwen tussen de bomen... Een stel jongens kwam recht op me af. Ik keek om me heen. Voor vluchten was het te laat! Maar waar kon ik me zo snel verstoppen? Er stonden hier alleen halfdode sparren. Hun takken begonnen pas vijf meter boven me. Het enige dat overbleef, was de ruïne.

Zonder aarzelen klom ik op de poort. Als een tijger kroop ik geruisloos over de brede boog. Bij het gat in het midden liet ik me plat op mijn buik zakken. Een paar stenen verschoven een beetje. Ik fluisterde met mijn kiezen op elkaar een paar scheldwoorden. Maar de boog bleef verder stil, gelukkig!

Ademloos staarde ik naar de gestalten die nu tussen de bomen tevoorschijn kwamen. De eerste kende ik goed. Het was Dikke Michiel, de Darth Vader van onze wereld. Zijn adem rochelde als de roestige kettingen van tien beulen. Zijn ogen gloeiden als laserstralen. Zijn T-shirt spande zich tevergeefs over zijn vetrollen, zijn tonnen spieren en zijn pikzwarte hart. En natuurlijk werd hij op de voet gevolgd door zijn miskleunen, zoals onze trainer Willie hen noemde. De Inktvis, de Maaimachine, de Stoomwals, Varkensoog, de Zeis en Kong, de monumentale Chinees. Al maanden bemoeiden ze zich niet meer met ons. Ze hielden zich schijnbaar met andere dingen bezig. En ik zag nu waarmee: onder me liep

een roversbende door de poort. Als ook maar één van die hufters in een film zou meespelen, zou je die pas mogen zien als je zestien was.

Ze lachten en schreeuwden en zwaaiden met hun plastic tassen boven hun hoofd. Snoep, strips en blikjes frisdrank – hun buit – vlogen door de lucht. Maar dat maakte hun niets uit. Ze hadden genoeg. Genoeg om alle kinderpartijtjes ter wereld mee te verzorgen.

Plotseling bleef Dikke Michiel staan. Hij stond recht onder me en riep de horde toe dat ze stil moesten zijn. De miskleunen dromden nieuwsgierig samen rond hun aanvoerder. Dikke Michiel grijnsde. Hij pakte een blikje cola uit zijn broekzak, trok het open, goot de inhoud in zijn mond en slikte, slikte, slikte. Daarna kneep hij het blikje tussen zijn vingers samen. Hij gooide het over zijn schouder in de struiken, stak zijn armen in de lucht en riep: 'Jaaah!'

Hij liet een knalharde boer en de anderen vielen bijna om van het lachen. Zij dronken ook, staken allemaal hun armen in de lucht en riepen: 'YES!'

Toen lieten ze allemaal een boer en lachten opnieuw.

Zelfs ik moest grijnzen. Ik stootte per ongeluk met mijn elleboog tegen de zaklamp. Hij rolde naar de rand en zou Dikke Michiel recht op zijn achterhoofd raken... Krabbenklauwen en kippenkak! Ik was verloren! Ik had hen bespied en ze zouden vast heel vindingrijk zijn om mij tot zwijgen te brengen.

De lamp was bij de rand gekomen. Ik rekte me uit en kon het ding op het nippertje weer naar me toe trekken. Maar helaas lagen er een paar kiezelstenen in het gat van de boog en die regenden nu recht op Dikke Michiel neer.

Plop! Pats! Kets! vielen ze op zijn hoofd. En – plop – sprong de vierde kiezel recht op zijn neus toen hij omhoogkeek.

'Hé!' schreeuwde hij tegen de anderen. 'Hou even je kop, ja!'

Het werd onmiddellijk doodstil. De anderen keken op hetzelfde moment omhoog. Ik dook weg en drukte mijn gezicht in het gat van de boog. Mijn hart begon als een luchtdrukhamer te slaan en de volgende zin van Dikke Michiel trof mij zoals een valbijl de hals treft.

'Inktvis!' schreeuwde hij schor en hij wees naar mij. 'Daarboven zit iemand!'

De Inktvis kwam direct in actie. Hij was een griezel met lang, vet, piekerig haar. Hij had een tattoo van een spinnenweb op zijn voorhoofd. En zijn armen waren zo lang dat ze bijna de grond raakten.

Ik gaf het op. Dit was het dan. Dit was mijn einde. Maar toen viel mijn blik op mijn munt, die op het fundament van de poort was gevallen. De munt was krom en verroest en daaraan kon ik zien dat het *mijn* geluksmunt was! Ik had hem lang geleden in de tramrails gevonden. Sindsdien had ik de munt altijd bij me, net als een boel andere dingen. Mijn broekzakken waren daardoor altijd uitgescheurd, waar mijn moeder heel vaak boos om werd. Maar ze kon niet weten waar ik deze 'rommel' voor nodig had. Ze wist niets van het dubbelleven van een 'Huckleberry' Fort Knox. En ze zou er ook nooit wat van weten als ik nu niet heel snel een uitweg kon bedenken. De Inktvis beklom de poort en was al bijna boven.

Ik staarde naar de geluksmunt in mijn hand alsof het de Steen der Wijzen was en toen wist ik het opeens. De vossenstaart die ik van mijn moeder gepikt had omdat ik zeker wist dat hij van mijn vader was. Ja, die vossenstaart had ik nodig.

Voorzichtig draaide ik me op mijn zij en voelde met twee vingers in mijn rechter broekzak. Shit! Waar zat dat ding nou? De Inktvis was bijna boven... Nog acht, nee hooguit

zeven seconden, dan was hij er. Pfff! Daar voelde ik de zachte haren. Ik legde de munt voor me neer en trok de vossenstaart uit mijn zak. Bliksemsnel schoof ik hem naar de geluksmunt toe. Ik zag de hand van de Inktvis al. Hij zocht naar houvast, nog maar een halve meter bij me vandaan.

Krabbenkak en kippenklauwen! Het was de allerhoogste tijd! Ik krabbelde met mijn hand over de boog en zwaaide met de vossenstaart heel dicht langs een van de stenen pilaren van de poort. Maar Dikke Michiel zag het niet, en de Inktvis trok zich intussen omhoog naar mij. Ik had geen keus: ik kuste mijn geluksmunt en gooide hem toen naar Dikke Michiel. De munt sloeg tegen zijn wang, die zo groot was als een waterbed.

'Hé!' schreeuwde hij boos. 'Wat was dat?'

Met een bliksemsnelle beweging ving hij de munt op. Hij bekeek hem grommend en keek toen omhoog naar de poort, waar hij de vossenstaart op de rand van de pilaar ontdekte. Gelukkig had Darth Vader maar een zes voor biologie.

'Boomrattengigaklets! Je kunt wel weer naar beneden komen, Inktvis! Het is een eekhoorn!'

Precies, dacht ik. Rot maar op! Maar helaas was de Inktvis niet zo helder in zijn hoofd. Na zijn vette piekhaar verscheen zijn voorhoofd met de tattoo. Ik beet mijn tanden op elkaar en bereidde me erop voor dat ik hem over een nanoseconde in de ogen zou kijken. En toen stopte die miskleun gewoon. Ik haalde opgelucht adem. De verbinding tussen zijn hersenen en zijn armen en benen was op het laatste moment toch nog tot stand gekomen.

'Waarom zei je dat niet meteen?' riep hij boos tegen Dikke Michiel.

Maar die lachte hem uit. 'Hou op. Vergeet het! Dat beestje heeft je voor je moeite betaald. Hier!' En met die woorden gooide Dikke Michiel hem mijn geluksmunt toe. De Inktvis ving hem op en stond met één sprong weer op de grond.

'Die munt is niets meer waard, man!' jammerde hij. Boos draaide hij de verroeste munt tussen zijn vingers om en om.

'Vette pech! Ga maar klagen bij die eekhoorn!' grijnsde Dikke Michiel.

Een moment dacht de Inktvis dat zijn aanvoerder dit voorstel echt meende. Mijn hart bleef stilstaan. Maar toen stopten de radertjes in zijn hersenen tegelijk en draaiden als een gokautomaat alle drie een kers. Hoofdprijs! De Inktvis schudde boos zijn hoofd en gooide de munt ver het bos in.

'En nu gaan we!' gaf Darth Vader zijn bende het vertreksein. 'Partytime! Of willen jullie al dat snoep en die blikjes soms hier achterlaten?'

Toen marcheerden ze weg. Lachend en schreeuwend liepen de Onoverwinnelijke Winnaars het Donkere Woud uit en het bouwland in. Dat bouwland noemden wij de 'Steppe'. Achter de ruïne doemden de drie flats op die als donkere torens afstaken tegen de schemerige ochtendhemel.

Ik haalde diep adem. En ik kneep mezelf drie keer achter

elkaar vóór ik kon geloven dat ik nog steeds in leven was. Krabbenkippen en klauwenkak! Maar nu werden de vogels wakker. Ik sprong van de kasteelpoort af en stormde naar huis.

Warme chocolademelk en grote geheimen

Mijn moeder en mijn jongere broer Josje waren al op. In de keuken aan de Fazantenhof rook het naar koffie en warme chocolademelk. De warme broodjes die ik meebracht, maakten het ontbijt compleet. O, wat was ik blij dat ik een broertje, een moeder en een thuis had! Dat moet je van me aannemen, anders stop ik nu meteen, en hou de rest van het verhaal voor mezelf. Duidelijk?

Goed zo. Dan zijn we het eens. Op één voorwaarde: dat je het zweert. Ja, je hebt het goed gehoord. Klap nu het boek dicht, leg je hand op het Wilde Bende-teken en zeg: 'Ik geloof dat Joeri "Huckleberry" Fort Knox, het eenmans-middenveld, oprecht van zijn broertje Josje, zijn moeder en zijn thuis houdt.'

Hup! Waar wacht je nog op? Doe dit boek dicht en leg de eed af. Ik vraag het je toch beleefd? Leg de eed voor mij af, ook als je het belachelijk vindt. Doe het voor mijn part in het geheim, maar zorg dat je het op de een of andere manier voor elkaar krijgt. Ik heb je hulp nodig, en je helpt me door me helemaal te vertrouwen. Ik vraag het je, ik smeek het je. Want anders loopt dit verhaal verschrikkelijk af.

Oké!

Dan niet.

Ik snap het wel. Vertrouwen is tegenwoordig een moeilijke zaak. Heel erg moeilijk zelfs. Zet dan maar een teken op de bladzijde! Maak er een ezelsoor in. Daar kan een Wilde Bende-boek heel goed tegen. En als het dan moeilijk begint te worden, blader je vlug terug naar deze bladzij. Afgesproken?

Ik keek naar mijn moeder. Ze smeerde de broodjes en zonder het te vragen kwam ze er zoals elke morgen weer achter waar Josje en ik het meeste trek in hadden.

'Toverbeleg,' noemde mijn broertje dat altijd, of 'verrassings-worst-kaas-marmelade-kwark-prut'. Ik bewonderde mijn moeder er enorm om. En terwijl ik mijn handen aan de

beker chocolademelk warmde, vroeg ik me zoals altijd weer af: Waarom is mijn vader er in godsnaam niet?

Mijn vader was het grote geheim dat mijn moeder voor ons verborg. Ik wist niets over hem. Nou ja, zogenáámd wist ik alles. Ik wist dat hij een fantastische man was, dat mijn moeder erg veel van hem had gehouden en dat het voor hen helaas niet mogelijk was bij elkaar te blijven. Maar in werkelijkheid wist ik maar één ding: mijn vader was er niet. Voor Josjes geboorte was hij plotseling verdwenen en ik wist dat hij in elk geval niet dood was.

Daarom had ik óók een groot geheim. De tocht naar de bakker om de broodjes te halen was alles wat mijn moeder en Josje of wie dan ook wisten van mijn ochtenduitstapjes. En ik dacht er geen seconde aan ze meer te vertellen. Ik piekerde er niet over. Zelfs niet toen ik weer zat na te griezelen van de gebeurtenissen in het Donkere Woud.

De achtste dimensie

Ook op het schoolplein waren het Donkere Woud, de graffiti-torens en Dikke Michiel ver weg. Daar waren we weer het beste voetbalelftal ter wereld.

'Alles is cool!' riepen Josje en ik.

'Zolang je maar wild bent!' antwoordden de andere leden van de Wilde Voetbalbende.

De zomervakantie was pas twee weken voorbij en we bruisten van de energie. We zaten nu in groep zeven. Marlon zat in groep acht. En Josje was eindelijk in groep drie gekomen. En we waren allemaal vastbesloten alleen nog maar wild en gevaarlijk te leven.

Willie wilde dat ook. Willie is onze trainer en de beste trainer van de wereld. Zoals elke dag waren we na school regelrecht naar het veldje gereden om te trainen. Maar deze keer remden we bij de ingang keihard af en staarden naar boven, naar het bord dat daar hing.

Dat wil zeggen, bijna allemaal. Raban reed door. Met open mond en zijn ogen op het bord gericht, reed Raban onder de ladder door waarop Willie stond te werken. Raban kwam met een klap tot stilstand tegen een vuilnisbak. Willie sprong van schrik van de ladder. Raban gooide zijn fiets in het rek en kwam teruglopen. Hij had de botsing met de vuilnisbak amper gevoeld. Dat gold ook voor de dopsleutel die Willie van schrik had laten vallen en die op Rabans hoofd terecht was gekomen. Met enorme ogen, die door zijn bril met jampotglazen nóg groter leken, staarde Raban naar het bord dat Willie aan het ophangen was.

'Hoi Raban!' zei Willie. Hij had zich met zijn manke been weer de ladder opgewerkt. 'Nu je toch hier bent, kun je me vast wel de dertien aangeven.'

Raban staarde hem niet-begrijpend aan. Nadenkend krabde hij aan de bult die de dopsleutel hem bezorgd had. En toen ontdekte hij het stuk gereedschap met nummer dertien op het handvat in Willies gereedschapskist.

'De dertien? Natuurlijk, ogenblikje!' riep hij. Maar de dertien zat klem tussen andere tangen en sleutels. 'Dampende kippenkak!' schold Raban en hij trok woest aan de sleutel. Met een schok schoot het ding los, waardoor Raban naar achteren viel en weer tegen de vuilnisbak botste. Wij vielen bijna óm van het lachen. Zonder een woord te zeggen sprong Raban op. Hij pakte de dopsleutel en klom op de ladder. Zijn wangen waren zo rood geworden, dat zijn rode haar erbij verbleekte. Hoe hoger hij kwam, des te groter en machtiger werd het bord dat nu bijna recht hing.

In wilde, feloranje letters stond erop: 'De Duivelspot'. Dat was de naam van de grootste heksenketel aller heksenketels.

'Wauw!' fluisterde Raban. 'Dit is echt wild!'

'Zo wild als Turkmenistan!' zei Vanessa, die sinds twee weken bij ons hoorde. We hadden een gigarespect voor haar, ook al was ze een meisje.

'Krabbenklauwen en kippenkak!' grijnsde ik. 'Dit is het wildste trapveldje van de hele wereld!'

'Ja!' riep Josje. 'Hij heeft gelijk!'

Op dat moment draaide Willie zich om. Hij keek ons somber aan. De glimlach verdween van onze gezichten. Zwijgend keken we toe hoe hij de laatste schroef vastdraaide. Toen kwam hij van de ladder en hinkte het veld op. We volgden hem op gepaste afstand en gingen eerbiedig voor zijn stalletje staan.

Willie keek ons aan. Vanonder de klep van zijn rode honkbalpet hield hij iedereen in de gaten.

'Trapveldje? Doe even normaal! In wat voor wereld leven jullie eigenlijk?'

We slikten en schuifelden met onze voeten. Eerlijk gezegd wisten we helemaal niet wat we verkeerd hadden gedaan. Maar Willie balde zijn vuisten, zo boos was hij.

'Trapveldje! Ik snap jullie niet! Let even heel goed op! Degene die het klaarspeelt dit stádion nog één keer "trapveldje" te noemen, wil ik nooit meer zien. Is dat duidelijk?'

We keken elkaar aan en draaiden met onze ogen. Wat is er met Willie gebeurd? vroegen we elkaar in stilte.

Maar Willie zette nog een tandje bij. 'Ik vroeg wat! Is dat duidelijk?'

Met fonkelende ogen wachtte hij tot we knikten. 'Goed! Dan kan ik het jullie eindelijk vertellen!' mopperde hij. Heel even schoot een lachje onder de klep van zijn pet uit.

'Vanaf vandaag spelen jullie in een echte competitie. Jullie hebben een eigen divisie: groep 8 van de E-junioren. Komende zondag begint de strijd om het kampioenschap. En die strijd vindt beslist niet op een trapveldje plaats. Daarvoor heb je een arena nodig.'

Nu kon Willie zijn grijns niet meer onder zijn pet verbergen. 'Welkom in de Duivelspot, het stadion van de Wilde Voetbalbende V.W.!'

Met deze woorden draaide Willie zich om naar zijn stalletje. Hij greep een reusachtige hendel die aan zijn stokoude elektriciteitskastje vastzat. Kreunend en steunend drukte hij hem naar beneden. Vonken spatten in het rond, zodat we

allemaal schrokken. Het knetterde, siste, kraakte en knalde. Willie was zeker weten geen elektricien. Maar nu sprongen aan zes hoge palen rond het veld, bouwlampen aan.

'Krabbenklauwen en kippenkak!' riep ik verbaasd.

'Echte schijnwerpers!' riep Raban enthousiast.

'Wat had je dan gedacht?' zei Willie lachend.

En Leon, onze aanvoerder, voegde daaraan toe: 'Dacht je

dat het een zandbak was? Man, je staat hier in de Duivelspot!' Hij pakte een flesje cola aan van Willie. 'Het wildste stadion in de achtste divisie!'

'Op Willie!' Marlon, Leons broer, hief zijn flesje.

'Ja, op Willie, op de Duivelspot en op de lampen!' jubelde Raban.

En Josje, mijn kleine broertje, riep zo hard hij kon: 'Het wildste stadion in de achtste dimensie!' We schoten allemaal in de lach.

En Willie zei: 'Die houden we erin! Het wildste stadion in de achtste dimensie!'

Tattoo's en andere dromen

Natuurlijk trainden we die hele dag tot het pikdonker was. De schijnwerpers moesten tenslotte ingewijd worden. Toen gingen we allemaal naar huis en kropen in bed. En terwijl onze ouders dachten dat we rustig sliepen, kwamen we weer bij elkaar op Camelot. Zo heette ons boomhuis. Ik heb het samen met Josje in onze tuin gebouwd. Het is drie verdiepingen hoog.

Zoals altijd als er iets belangrijks aan de hand was of als we in groot gevaar waren, zetten we het oude houten vat in ons midden. We noemden het vat het Aambeeld. De een na de ander legde zijn onderarm erop.

Marlon tekende intussen met een dunne zwarte viltstift

bij iedereen een tattoo op de arm: het logo van de Wilde Bende boven gekruiste botten. Dat paste bij de Duivelspot. En bij onze spelerscontracten, die eruitzagen als schatkaarten. Dat hoorde bij Willies verhalen waarnaar we ook nu weer ademloos luisterden. Hij vertelde over Marco van Basten in de eerste EK-wedstrijd. En het paste bij onze dromen. Dromen van een eigen competitie. En van overwinningen met het beste elftal van de wereld. En dromen van een leven met de Wilde Bende waarin je iedereen kon vertrouwen en op iedereen kon rekenen.

'Hé! Alles goed?' vroeg Vanessa opeens aan mij. Ze stond in de deur van het boomhuis en keek me aan.

Ik keek verrast op. Toen keek ik om me heen. Behalve Vanessa, Marlon en Leon was iedereen weg. Klauwenkrab en kakkenkip! Wat was er met mij aan de hand?

Vlug veegde ik de tranen van mijn wang. 'Natuurlijk is alles goed!'

'Echt? Weet je het zeker?' vroeg Marlon. Leon keek me alleen maar aan.

'Natuurlijk! Wat zou er aan de hand moeten zijn? Kom op, naar huis!' riep ik lachend. 'Morgen wordt het een zware dag. Het gaat om het kampioenschap!'

Om Vanessa's mond verscheen een glimlachje.

'Precies!' zei ze.

'Ja, en alles is cool!' zei ik met hetzelfde lachje.

'Zolang je maar wild bent!' antwoordde Marlon. Hij en Vanessa gingen naar huis.

Nu was alleen Leon er nog. Hij keek me aan. Toen stak hij zijn hand in de lucht voor een high five.

'Joeri, we rekenen op je,' zei hij. En hij keek me door mijn ogen heen recht in mijn ziel.

Ik knikte en nam de high five aan.

Door het Donkere Woud en over de Steppe

Op school was het zoals altijd. Maar thuis zat ik al bij de lunch onrustig op de houten bank heen en weer te schuiven. Toen verdween ik naar mijn kamer. Ik had een eeuwigheid nodig voor een paar onnozele staartdelingen die we als huiswerk moesten maken.

Josje riep al voor de derde keer uit de keuken: 'Waar blijf je nou? De training begint over tien minuten!'

Ik sprong op, rukte de deur van mijn kamer open en snauwde: 'Ja, en over een minuut zijn het er nog negen! Ik krijg de zenuwen van jou! Waarom ga je niet vast? Ik ben oud genoeg. Ik kan de weg wel alleen vinden!'

Josje keek verbaasd naar mijn moeder. Die haalde haar schouders op. Toen keek hij weer naar mij. 'Als je met die chagrijnige kop op het middenveld voor vier moet tellen, is het misschien beter als je verdwaalt!'

Hij pakte zijn rugzak, rende de keuken uit, de tuin in, sprong op zijn fiets en was verdwenen. Ik ging terug naar mijn kamer en deed verschrikkelijk druk. Maar in werkelijkheid telde ik alleen maar tot honderd. Toen stormde ik heel hard mijn kamer uit, zodat mijn moeder niet zou zien dat ik geen voetbalschoenen en geen rugzak meenam.

Ik rende en rende, en nam een weg waar ik niemand van mijn vrienden zou tegenkomen. Ik bleef pas staan voor de

ruïne. Buiten adem en met bonkend hart liep ik voor het eerst van mijn leven door de woeste tuin eromheen. Het was er doodstil. Ik liep vlug verder en stopte abrupt omdat ik aan het andere einde van het Donkere Woud was gekomen.

Voor me lag de troosteloze Steppe, waaruit zich de drie graffiti-torens verhieven. Ik was nog verstopt tussen manshoge brandnetels. Ik had me nog kunnen omdraaien. Maar sinds gisteren was dat niet meer mogelijk.

Krabbenkak en kippenklauwen! Begrijp je het dan niet? Wie van jou of je vrienden heeft een eigen stadion? Een stadion dat de 'Duivelspot' heet en dat lampen heeft die je zelf aan en uit kunt doen?

Dat moest ik toch aan mijn vader vertellen? Net als Leon, Marlon, Fabian, Rocco en Max dat gedaan hadden. Dat had ik gisteren begrepen toen mijn arm op het aambeeld lag en Marlon met een dunne viltstift 'Wilde Voetbalbende' op mijn arm 'tatoeëerde'. Daarom moest ik ook huilen. Ik had me voorgesteld hoe blij mijn vader zou zijn als ik hem alles vertelde. Of als ik hem voor het kampioenschap in de achtste divisie zou uitnodigen.

Ik haalde diep adem en liep daarna door. Bij Dikke Michiel en zijn Onoverwinnelijke Winnaars had het geleken alsof de brandnetels eerbiedig voor hen uit elkaar bogen. Maar mij sloegen de prikkende bladeren tegen armen en benen en zelfs in mijn gezicht. En toen was ik op de Steppe.

Voorzichtig keek ik om me heen in de verlaten woestenij. Melkkleurig gras en distels groeiden op de stoffige grond. En hoewel het klaarlichte dag was, schoot er een rat vlak voor mijn voeten langs.

Ik schrok en bleef weer staan. Ik zocht wanhopig naar een reden om terug te kunnen gaan. Maar er was geen twijfel mogelijk. Mijn vader moest in een van die torens wonen. Dus liep ik door. En terwijl ik de Steppe overstak, probeerde ik de ratten niet meer te zien. Het was ook allemaal niet zo erg. Ik zou gewoon de naambordjes bij de bellen in de flats bekijken en naar een meneer Michael Marsman zoeken. En zodra ik mijn vader gevonden had, zou die me beschermen.

Ja, daar was ik heilig van overtuigd toen ik de parkeerplaats tussen de graffiti-torens op liep.

De wind floot om de grauwe betonnen flats. Ze kreunden en steunden alsof het levende monsters waren die zo wakker konden worden. De graffiti op de muren vertelde uitvoerig wat er dan met iemand kon gebeuren. Op zoek naar hulp keek ik naar de nieuwe tattoo op mijn onderarm. Naast de graffiti op de torens leek mijn tattoo op een kauwgum-plakplaatje.

Kippenklauw en krabbenkak! Wat was ik bang! Maar ik heb je aan het begin van dit verhaal gewaarschuwd. Ik heb je gezegd: ‘Zoek een veilige plek op! Het beste is met je rug tegen de muur te gaan zitten en steeds een zaklamp klaar te houden.’ Nou ja, misschien was dat wat overdreven. Dat spijt me, maar terug kan nu niet meer.

Of misschien ook wel. Ik was tenslotte alleen. Geen Dikke Michiel of andere miskleun te bekennen. Toch liep ik met gebalde vuisten op de eerste flat af. Het glas van de voordeur was gebarsten. Het zag eruit als een spinnenweb. Ik begon de naamplaatjes naast de bellen te lezen.

‘Marsman, Marsman, Marsman,’ fluisterde ik bezwerend. Maar hoe langer ik zocht, hoe meer ik de moed verloor. Nee, hier wilde ik geen postbode zijn. De meeste plaatjes hingen half los of waren verroest. Vaak waren het kaartjes van dun karton. Soms zaten een paar kaartjes over elkaar heen geplakt en waren daardoor nauwelijks leesbaar.

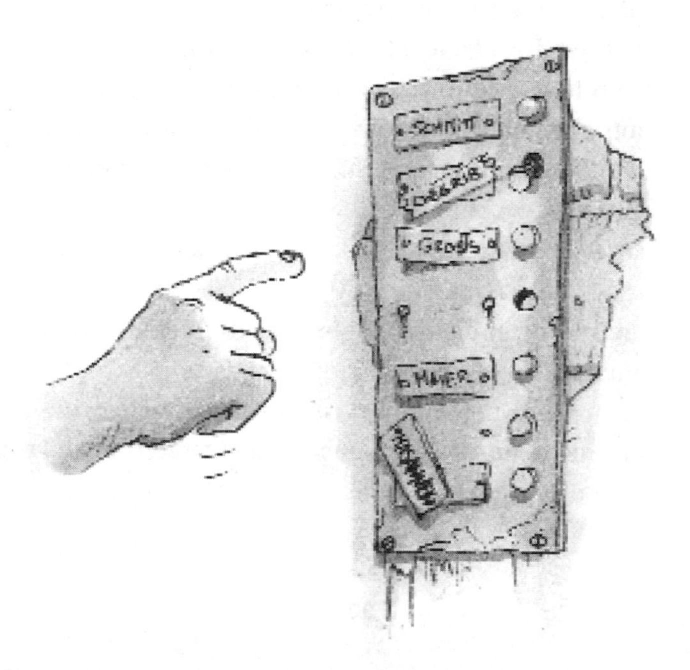

Toch gaf ik het niet op. Want dit leek een gunstig moment. Dikke Michiel en zijn bende waren er niet en misschien had ik geluk. Misschien woonde er een Marsman in een van de andere twee flats.

Langzaam liep ik tussen de auto's door naar de tweede toren. Soms leek het of er schaduwen om me heen gleden. Maar ik deed gewoon of ik ze niet zag. Net als met de ratten op de Steppe. Toen ik de grote deur van de tweede flat open wilde duwen, lukte dat niet. Hij viel voor me in het slot. Ik schrok en bleef roerloos staan. Er werd ergens gegiecheld, maar ik zag niemand. Ten slotte wist ik mezelf ervan te overtuigen dat dit gegiechel alleen maar in mijn hoofd bestond. Ik voelde nog een keer aan de deur, die nu tot mijn verrassing openging.

Hier was alles anders. Het glas in de deur was heel en de plaatjes naast de bellen waren netjes en duidelijk leesbaar.

'Marsman, Marsman, Marsman,' begon ik weer. 'Marsman! Marsman! Marsman!' klonk het tegelijkertijd in mijn hoofd.

En toen stonk het opeens om me heen naar oud vuilnis. Gadver, dacht ik en ik snakte naar adem. Maar mijn adem reutelde plotseling als de adem van een stokoude potvis die de hele wereld had rondgezwommen. Toen drong het tot me door. Het gegiechel zat niet in mijn hoofd, zoals het 'Marsman! Marsman! Marsman!' dat ik nog steeds hoorde.

'Krabbenkip en klauwenkak,' mompelde ik.

Met deze woorden draaide ik me langzaam om en keek recht in het gezicht van Dikke Michiel.

'Hoihoi!' zei hij hijgend. 'Ik ben Dikke Michiel van Mars. En ik kom natuurlijk in vrede!'

Ik keek hem aan alsof ik hem niet begreep. Even overwoog ik om naar de hemel te schreeuwen: alstublieft, lieve Heer, laat niet gebeuren wat ik nu denk!

Ik had het graag gedaan. Maar ik vond ook dat ik op mezelf moest kunnen rekenen. Bliksemsnel wilde ik ervandoor gaan. Maar dat werd me niet gegund.

Achter me werd de deur verder opengetrokken, en de Inktvis, de Zeis en Kong sprongen naar buiten. Voor me Dikke Michiel, achter me drie miskleunen.
Ik zat definitief in de val. Daaraan viel niet meer te twijfelen, en ik had de rest op de parkeerplaats nog niet eens gezien. Ik zat in de val, recht tegenover het monster der monsters. En niet één lid van de Wilde Bende in zicht.

Dikke Michiel keek me met een scheve grijns aan.

Dat is ongeveer het vriendelijkste wat hij voor elkaar krijgt, dacht ik.

En dat was mijn laatste gedachte. Want wat er daarna met me gebeurde, zou ik niet meer weten.

Het verdrag met de duivel

Toen ik weer helder kon denken, was ik aan de rand van de parkeerplaats tussen de flats.

Ik lag in de laadbak van een kleine vrachtwagen. Toen ik m'n ogen opendeed, zag ik als eerste het gezicht van Dikke Michiel. Hij lag met zijn lompe lijf boven op de cabine. De

inhoud van mijn zakken lag voor hem. Als een gorilla met een Darth Vader T-shirt aan scharrelde hij peinzend met zijn handen tussen mijn spullen.

'Hé! Wat wil je daarmee? Dat is toch alleen maar rommel!' zei ik snel.

Dikke Michiel mompelde zoiets als: 'Dat zie ik ook wel!' Maar op dat moment pakte hij de vossenstaart.

Voorzichtig hield hij hem vast en keek er lang naar, alsof hij niet wist wat het was. Hij had maar een zes voor biologie. En hij zag ook niet het verschil tussen een vossenstaart en een eekhoornstaart. Maar hij herkende de staart wel.

'Moet je dit zien!' fluisterde hij geheimzinnig en hij zwaaide met de staart door de lucht. 'Inktvis, herken je deze?'

Zodra Dikke Michiel begon te denken, schrok de Inktvis wakker. Alle Onoverwinnelijke Winnaars lagen te suffen. Maar ik verloor hun boosaardigheid niet uit het oog. Krokodillen liggen precies zo in de moerassen, tot ze heel plotseling toeslaan. En net als een krokodil verdraaide de Inktvis nu een van zijn ogen. Hij keek scheel in de richting van de cabine, waarop de roverhoofdman nog steeds lag uitgestrekt.

'Deze kleine dwerg heeft ons belazerd!' brulde Dikke Michiel. En toen lichtten de laserogen tussen de vetplooien op. Bliksemsnel, alsof zwaartekracht voor deze dikzak niet bestond, sprong hij in de laadbak. Hij kwam naar me toe.

'Deze dwerg heeft niet alleen niks bij zich wat we kunnen gebruiken. Deze dwerg heeft ons ook nog belazerd. Hij heeft ons afgeluisterd toen we met onze buit terugkwamen. En nu loopt deze dwerg ons ook nog te bespioneren!'

Met deze woorden pakte hij me vast met zijn handen als kolenschoppen. Hij trok me overeind en tilde me op. Mijn voeten bungelden in de lucht en ik voelde me helemaal niet wild meer. Ik was honderd procent dwerg! Dikke Michiel haalde diep adem en blies de geruite pet van mijn hoofd. De kracht waarmee dat gebeurde, deed me denken aan een neushoorn die een scheet laat.

'Maar nu is het uit met speurdertje spelen, dwerg!' siste hij. 'Duidelijk?' En hij slingerde me minstens drie meter door de lucht.

Ik vloog tegen de cabine. Mijn botten vielen als mikadostokjes op het laadvlak. Dat doofde mijn laatste restje galgenhumor als een kaars in de storm. Daarna was het stil. Even stil als mijn situatie ernstig was. Want nu bewogen de andere krokodillen zich ook om me heen. 'Vechten' was het toverwoord dat hen wakker kon schudden. En in tegenstelling tot Dikke Michiel zaten de spieren van de Zeis, de Inktvis en Kong niet verstopt onder dikke potvis-vetrollen. Daar kwam ook nog het rammelen van de fietsketting bij, die de Zeis van zijn blote borst had gehaald en nu genietend door zijn vingers trok. Het ratelde als een bom die zo zou ontploffen.

Alle krabbenklauwen! Zelfs het opduiken van Josje, die we 'het geheime wapen' noemen, zou nu een vonkje hoop hebben gegeven. Maar hij was net als de andere leden van de Wilde Bende daar waar hij thuishoorde. Bij de training in de Duivelspot.

Kreunend en steunend ging Dikke Michiel nu voor me op zijn knieën zitten. Zijn laserogen lichtten me door tot in het achterste hoekje van mijn ziel.

'Wat doen we nou met jou?' hijgde hij zo medelijdend dat het bloed in mijn aderen stolde. 'Wat doen we nou?'

'I-i-ik weet het n-n-niet!' stotterde ik. 'Maar a-als ik te veel last be-bezorg, kan ik wel weggaan.'

Bliksemsnel zocht ik mijn botten weer bij elkaar. Ik wilde

net opstaan, toen een van de kolenschoppen van Dikke Michiel de hemel verduisterde en me als het deksel van een gigantisch tosti-ijzer op het laadvlak plakte.

'Wat doen we nou met jou?' zeurde Dikke Michiel door, alsof er helemaal niets gebeurd was.

'Laten we hem martelen!' stelde de Inktvis voor alsof hij de anderen uitnodigde voor een spelletje kaarten.

'Ja, goed idee,' grijnsde de Zeis. 'We trekken heel hard aan zijn tenen! Deze dwerg is lid van de Wilde Voetbalbende! En met zere tenen kun je voetballen wel vergeten!'

Kong zei niets, maar vouwde zijn handen en liet zijn vingers knakken. Mijn tenen wilden terugschieten in mijn voeten, zoals koppen van schildpadden terugschieten onder hun schild. Maar dat was helaas niet mogelijk. Net zomin als het mogelijk was om ervandoor te gaan. Ik lag daar, met die enorme hand van Dikke Michiel op mijn borst, en kon me niet bewegen.

Dus eerst word ik gemarteld en dan trekken ze heel hard aan mijn tenen, probeerde ik me op mijn lot te concentreren. Misschien had ik geluk en zou ik al bij het martelen flauwvallen. Maar shit! Ik was Joeri 'Huckleberry' Fort Knox, het eenmans-middenveld! En zij waren een stelletje idioten. Bang zijn voor hen was even stom als wanneer Ajax zou verliezen van Oost-Knollendam.

'Wacht even!' riep ik daarom vastbesloten. 'Misschien is er een betere oplossing. Misschien kunnen jullie me nog ergens voor gebruiken.'

Ik keek zo veelbelovend als ik maar kon. En dat viel niet mee. Ik had namelijk geen flauw idee wat dat zou kunnen betekenen.

De Inktvis, de Zeis en Kong keken nu zo teleurgesteld alsof ze geen toetje kregen. Ze hadden zich erg op mijn marteling

verheugd. Maar Dikke Michiel floot tussen zijn tanden.

'Zo-zo-zo!' siste hij. 'De dwerg is niet dom. Er is inderdaad iets wat we nodig hebben!'

Hoera! Op dit moment stroomde er een geluksgevoel door me heen dat ik anders alleen maar met Kerstmis had. Maar geluksmomenten hebben een groot nadeel. Ze zijn te kort, zeker als Dikke Michiel voor je zit.

'Geld!' fluisterde hij nu. 'We hebben geld nodig! Ik geloof niet dat ik het je duidelijker hoef uit te leggen!'

Ik keek op naar de verwaarloosde flat en wist meteen wat hij bedoelde.

'Maar in jouw buurt,' ging hij verder, 'is meer dan genoeg geld. Toch?'

Ik dacht aan de chique Eikenlaan, aan de villa van Marcs ouders en aan Rocco's kasteel, Hemelpoort 13. Krabbenkak en kippenklauw! Wat had ik gedaan?

Maar Dikke Michiel kon mijn schrik niet delen.

'Nou, en waar de ouders rijk zijn, daar krijgen de kinderen

vast ook een hele hoop zakgeld, hè? En wat zou je ervan vinden als we de geldstroom een beetje verlegden? Ik bedoel: als het geld uit de zakken van je vrienden naar ons zou stromen? Denk je dat je dat voor elkaar krijgt?'

Hij keek me vol verwachting aan. En ik zweer je dat ik alles probeerde om mijn verontwaardiging te laten zien. Ik wilde woedend protesteren. Of in elk geval boos mijn hoofd schudden. Maar mijn tenen waren sterker dan ik.

Dikke Michiel glimlachte tevreden. 'Oké! Afgesproken! Morgenavond is het betaaldag!'

Met deze woorden liet hij me los en ik benutte de kans. Ik sprong op en griste de inhoud van mijn zakken terug.

'Wat doe je daar?' vroeg een boze stem. Ik keek geschrokken op. Het was de vrachtwagenchauffeur. De Onoverwinnelijke Winnaars waren spoorloos verdwenen.

'Wat doe jij daar?' vroeg de chauffeur weer. 'Ik heb je hier nog nooit gezien. Alles in orde met je? Heb je misschien hulp nodig?'

Pas nu merkte ik hoe ik bibberde en ook hoe vriendelijk de man tegen me was. Hij wilde me helpen. Hij was niet als Dikke Michiel. Hij was niet mijn vijand. Maar om de een of andere reden schudde ik mijn hoofd. Ik sprong van de vrachtwagen en rende zo hard ik kon de Steppe op.

Maar dat was een vergissing, want daar dook Dikke Michiel weer voor me op.

'Stop!' schreeuwde hij.

Ik verstarde, alsof ik midden in mijn beweging bevroren was.

'Stop,' herhaalde Dikke Michiel zachtjes. 'Morgenavond. Dat is de afspraak. En anders laat ik de Inktvis, de Zeis en Kong op je los.'

Ik knikte en Dikke Michiel grijnsde.

'Doe je best. We zien elkaar op school,' slijmde hij.

Ik zei niets, maar zette het op een lopen. Ik had zo'n bloedhekel aan die dikzak. Voor het eerst in mijn korte leven wou ik dat ik Fabian was, de snelste rechtsbuiten ter wereld.

Waar was je, Joeri?

Toen ik thuiskwam, omhelsde ik iedereen.

'Ik ben er weer!' riep ik enthousiast. 'Zien jullie dat? Ik ben er weer!'

Ik knuffelde mijn moeder en gaf Josje een dikke kus. Die sloeg me meteen op mijn neus.

'Gadver!' schold hij. Maar daarvoor kreeg hij direct nog een zoen – en ik zijn vuist in mijn maag.

'Ik háát het als je dat doet!' schreeuwde Josje tegen me en ik straalde als een engel.

'En ik hou daarom nog meer van je!' riep ik. 'Kom op, geef me nog een dreun, als je wilt!' Grootmoedig bood ik hem mijn kin als volgend doel aan, en Josje nam het aanbod aan. Hij haalde uit en sloeg. Deze keer ging ik tegen de grond. Dat wil zeggen, een paar seconden lang wist ik niet meer zo goed waar ik was.

Toen keek ik een beetje verdoofd op naar mijn broertje. 'Krabbenklauw en kippenkak! Dat noem ik broederliefde,' kreunde ik.

'Precies! En je kunt zoveel krijgen als je maar wilt,' dreigde hij.

Ik wreef over mijn zere kin en grijnsde tegen hem. 'Dat is te aardig van je, broertje. Maar laten we even rustig aan doen. Straks hou ik zo veel van je dat ik met je wil trouwen!'

Josje werd vuurrood. Hij snoof, stak zijn vuisten hoog in

de lucht en wilde opnieuw uithalen. Maar toen liet hij zijn armen weer zakken. 'Joeri spoort niet,' zei hij droog tegen onze moeder en hij liep de keuken uit.

'Ondanks dat ben ik heel erg blij dat jullie twee er zijn!' riep ik hem na en ik keek listig mijn moeder aan.

Ze zat aan de keukentafel en stopte tenen knoflook in de pers. Ze keek me aan en drukte de pers toen met grote kracht dicht.

'Waar was je, Joeri?' vroeg ze alleen maar en ik was haar het liefst om haar hals gevlogen.

'Ik ben in de hel geweest, mam!' wilde ik tegen haar zeggen. Maar ik zei niets omdat ik bang was dat ik ging huilen.

En precies zo ging het de volgende dag op school.

'Dampende kippenkak! Joeri, waarom was je er niet?' vroeg Raban. Hij stond bij het hek. Samen liepen we het schoolplein op. 'De achtste dimensie is keihard. Willie heeft ons aangemeld voor een groep waarin iedereen een jaar ouder en groter is dan wij. Dat moest, omdat Marlon anders niet mocht meedoen. En daarom hebben we jou hard nodig. Zonder jou is onze verdediging een Zwitserse gatenkaas.'

Met deze woorden kwamen we bij de anderen aan en meteen keken alle leden van de Wilde Bende naar mij. Maar dat was nog niet alles. Ik voelde ook die andere ogen, en die brandden als vuur. Ik voelde de grond onder mijn voeten heet worden en ik begon onrustig te schuifelen of ik op een gloeiende haardplaat stond.

Ik voelde me ellendig, maar Dikke Michiel had er duidelijk plezier in. Tevreden stond hij aan de rand van het schoolplein onder de bomen en staarde me aan.

'Hé, alles goed?' vroeg Vanessa net als de avond ervoor op Camelot en ik gaf voor de tweede keer geen eerlijk antwoord.

'Wat zeg je? Natuurlijk. Wat moet er dan zijn?'

'Weet je het zeker?' vroeg Marlon en Leon keek me alleen maar aan. Hij zweeg.

Geen 'Joeri, we bouwen op je!'

Geen 'Alles is cool, zolang je maar wild bent!'

Hij keek me alleen maar aan en ik wist dat hij geen woord geloofde van wat ik zei.

Kippenkrab en krabbenklauw! Dat was te veel. Ik wilde geen leugenaar of verrader zijn! Ik hoorde bij de Wilde Bende en mijn vrienden zouden me heus wel beschermen. Dikke Michiel kon de boom in!

Ik zou Leon, Marlon en Vanessa alles vertellen. Toen blies Dikke Michiel een dikke bel van kauwgum en liet die knallen. Geschrokken draaide ik me naar hem om en zag de Inktvis, de Zeis en Kong als drie grijnzende tijgerhaaien recht op me af komen. Gelukkig ging toen net de bel.

Te mooi om waar te zijn

In de klas lette ik nauwelijks op. En toen Fabi ons in de eerste pauze bij elkaar riep, werd ik zenuwachtig.

'Aanstaande zaterdag is Willie jarig. Op de dag van onze eerste wedstrijd in de achtste dimensie,' zei hij. 'Breng daarom allemaal je zakgeld mee als je straks naar de Duivelspot komt, oké? Willie heeft een pak nodig.'

We keken hem aan en begrepen er niets van.

'Wat nou!' kreunde Fabi. 'Weten jullie dan helemaal niks van voetbal? Kom op. Wij hebben shirts met logo's en oranje kousen. Maar Willie loopt nog steeds in gewone kleren op de Duivelspot. En die kleren zijn al zo vaak versteld dat je niet eens meer kunt zien wat de broek is en wat het hemd. En daarom, en omdat een echte eredivisie-trainer er picobello uit moet zien, geven wij Willie een pak. Een echt pak met een vette stropdas erbij.'

De anderen waren enthousiast over Fabi's idee. Maar ik hield geschrokken mijn mond. Hoe kon ik nou geld van mijn vrienden stelen dat voor Willies verjaarscadeau bedoeld was? Wat voelde ik me rot! Maar kort voor de school uitging, kreeg ik een geniaal idee.

Deze keer was ik het die Josje liep op te jagen. We moesten naar de training, zo snel mogelijk. Als een tijger in zijn kooi liep ik in onze keuken te ijsberen. Maar ten slotte zaten we allebei op onze fiets en reden keihard naar de Duivelspot.

Daar trainden we beter dan ooit. Er stond countervoetbal op de planning. Daarmee wilde Willie de teams die een jaar ouder waren verslaan. Marc de onbedwingbare liep uit het doel en schoot de bal uit de hand heel ver over de middenlijn. Daar sprongen wij, Max 'Punter' van Maurik, Marlon de nummer 10, Vanessa de onverschrokkene, of ik, Joeri 'Huckleberry' Fort Knox, de bal tegemoet. We namen hem uit de lucht aan en speelden hem door, nog voordat hij de grond raakte. Van daaruit kwamen de buitenspelers voor het doel en daar renden onze spitsen er al op af. Fabian, de snelste rechtsbuiten ter wereld, knalde de bal als een torpedo in het doel. Of hij gaf een keiharde voorzet vanaf de zijkant. Dan hoefde Leon de slalomkampioen alleen nog maar de neus van zijn schoen op te houden om de bal te laten zakken. Felix de wervelwind, of Jojo die met de zon danst, kwam van links en speelde naar Rocco. En Rocco de tovenaar sloot altijd af met een tovertruc. Een schaarbeweging of hakje. Of hij combineerde zo snel met de mee oprukkende Marlon dat zelfs Willie duizelig werd van het toekijken.

We voelden ons weer het beste elftal van de wereld. En Willie, die anders steeds maar meer van ons eiste, ging zwijgend voor zijn stalletje in het gras zitten en keek naar ons. Zo enthousiast was hij.

Maar het meest tevreden was ik over mezelf. Ik hoorde weer bij de Wilde Bende. En zelfs toen Fabi ons zakgeld verzamelde, was ik ervan overtuigd dat ik mijn vrienden nooit zou verraden. Kom, blader even terug naar de bladzijde waarin je een ezelsoor hebt gemaakt en leg de eed voor me af! Want dat heb ik verdiend, en ik zal het ook meteen bewijzen.

Het zakgeld dat we hadden meegebracht was namelijk lang niet genoeg om een pak van te kopen. Even waren we erg teleurgesteld. Maar toen kreeg ik een idee. We moesten voor morgen nog meer geld inzamelen. Iedereen moest zijn ouders, ooms, oma's, opa's en tantes vragen om een bijdrage voor het cadeau.

'Wat denken jullie daarvan?' vroeg ik trots.

De anderen keken me verrast aan, vooral Marlon, Vanessa en Leon.

Toen grijnsde Vanessa. 'Alles is cool!' zei ze.

'Zolang je maar wild bent!' antwoordde ik lachend en Marlon stak zijn hand op voor een high five. Ik deed mee. Toen vormden we onze kring. Iedereen legde zijn armen om elkaars schouders. Leon keek me recht aan, telde tot drie en toen schreeuwden we keihard onze strijdkreet: 'RAAAHHH!'

Een 'RAAAHHH!' dat in het Donkere Woud, over de Steppe tot bij de graffiti-torens te horen moest zijn. En dat gaf me moed. Want naar die torens moest ik vanavond nog terug, zoals je weet...

Terug in de hel

Thuis in de Fazantenhof was ik heel stil. Ik deed alsof ik doodmoe was. Dat maakte mijn moeder niet vaak van me mee. Toen ik ook nog vrijwillig afzag van het halfuur tv-kijken voor het slapengaan, begreep ze er niets meer van.

Ook Josje zei: 'Mam, Joeri is ziek!' Hij stond hoofdschuddend op van de keukentafel en zette de tv aan.

Normaal gesproken zou hij in ruil voor zijn commentaar een stomp van me hebben gekregen. Nu gaapte ik alleen maar. Ik rekte me uit en keek maar vijf minuten naar mijn lievelingsprogramma. Ik had er nog nooit een aflevering van gemist. Maar nu mompelde ik zo slaperig en onverstaanbaar mogelijk: 'Welterusten!'

Ik stond langzaam op, alsof ik minstens honderd was. Ik slofte naar de badkamer, waar ik me een beetje waste en mijn tanden poetste. Daarna verdween ik in mijn kamer. Ik kroop aangekleed in bed en zag op tijd mijn pyjama op de stoel liggen. Vlug stopte ik die bij me in bed. Toen verscheen mijn moeder al in de deuropening. Pfff! Ik trok mijn dekbed op tot aan mijn kin.

Mijn moeder keek me eventjes argwanend aan. Maar daarna stond haar gezicht alleen maar bezorgd.

'Kom je wel bij me als je hulp nodig hebt?' vroeg ze. Ik slikte een brok, zo groot als een mandarijn, weg.

'Ja, natuurlijk, mam,' antwoordde ik. En ik was er vast van

overtuigd dat ik niet tegen haar gelogen had. Mijn plan was goed. Vannacht nog zou alles goed komen.

'Slaap lekker!' zei mijn moeder en ze gaf me een kus op m'n voorhoofd. En ik antwoordde: 'Dank je, mam. Jij ook!'

Ik wachtte nog tot ze Josje naar bed had gebracht en ik haar pianospel hoorde. Anders vond ik het altijd heerlijk als ik bij haar muziek kon inslapen. Niemand speelde beter dan mijn moeder. Maar nu stond ik zachtjes op. Ik pakte mijn spaarvarken van de boekenplank, griste mijn spijkerjack van de stoel en kroop door het raam naar buiten, de nacht in.

Buiten op straat legde ik het spaarvarken op de grond met mijn jack erbovenop. Ik pakte een steen en sloeg het varken

stuk. Dat ging bijna geluidloos. Josje en mijn moeder konden het onmogelijk gehoord hebben. Er lag 32 euro en 65 cent tussen de scherven. Ik stopte het geld in mijn zak. De scherven gooide ik tussen de struiken in de voortuin. Ik wilde net wegrennen, toen ik opeens verstijfde.

In het huis schuin aan de overkant zag ik Fabi in zijn kamer staan. Hij keek mijn kant uit. Ik dook weg achter het muurtje van de voortuin. En ik bad dat hij me niet zag. Maar toen schoot het door mijn hoofd: hij kan mij niet zien, het licht in zijn kamer is aan. Opgelucht rende ik weg. Ik rende en rende en merkte daarom niet dat Fabi's blik me volgde. Zijn raam stond open en daardoor kon hij me duidelijk zien. Maar dat wist ik niet. Ik rende zo hard ik kon en stopte pas toen ik aan de andere kant van het Donkere Woud was.

Voor me lag de Steppe die ik al zo vaak had gezien. Maar nu, in de nacht, zag die er angstaanjagender uit dan 's morgens vroeg als ik naar de oude ruïne kwam om mijn geluksmunt op te gooien. Dan strekte ik mijn armen uit, omdat ik wilde voelen naar welke kant de munt me trok. Ik had er nooit zelfs maar aan gedacht de Steppe in het donker over te steken.

Weer sloegen de brandnetels in mijn gezicht. Ik dacht aan de ratten die hier overdag huishielden. Hoeveel van die beesten zouden er 's nachts rondrennen?

Toch liep ik stevig door. Distels krabden langs mijn benen en glasscherven versplinterden onder mijn schoenzolen. Ik schrok verschrikkelijk toen ik laserogen om me heen zag. Ze glipten langs mijn voeten en werden door naakte staarten achternagezeten. De grond om me heen leek te wemelen van de ratten.

Ik zette het op een lopen tot ik op de parkeerplaats tussen de graffiti-torens stond. Ik verbeeldde me dat ik daar veilig was, maar dat was natuurlijk onzin. Al bij daglicht had mijn hart uit pure angst in mijn keel geklopt. En nu voelde ik het bonken door mijn hele lijf.

Boven me en om me heen verhieven de drie donkere torens zich tegen de sterrenhemel en daartussen stonden auto's geparkeerd. Huiverend dacht ik nog even aan de ratten waarvoor ik net was weggerend.

Krabbenklauwen en kippenkak! Wat deed ik hier eigenlijk? Waarom liet ik Dikke Michiel niet gewoon stikken en maakte ik dat ik wegkwam? Een geniaal plan, maar hoe wil je iemand als Dikke Michiel laten stikken als hij plotseling voor je neus staat? Want dat gebeurde! En natuurlijk met een zaklamp die fel als een schijnwerper in je ogen schijnt. Wat doe je als zo verblind wordt? Het enige dat ik van de wereld om me heen herkende, waren de schaduwen van de strontvliegen die om Dikke Michiel heen zwermden. De schaduwen van Varkensoog, de Maaimachine, de Stoomwals, de Inktvis, de Zeis en Kong.

'Alle waterratten en varkensscheten!' fluisterde Dikke Michiel verbaasd. 'Ons dwergje heeft het inderdaad gedurfd. Hij verdient een medaille voor zijn moed, vinden jullie niet?'

Dikke Michiel hield zijn buik vast van het lachen en ik werd razend. Die onbetrouwbare hufters hadden me erin geluisd. Ik had hier helemaal niet heen moeten gaan! Alle zorgen, het slechte geweten en de angsten, die ik een hele nacht en een hele dag gevoeld had... Zelfs de liefdesverklaring aan Josje was niet nodig geweest. Zo overbodig als... als... een wrat op je billen.

Maar nu groeide die wrat. Hij werd steeds groter en veranderde, als bekroning, in Dikke Michiel.

'Nou, laat maar eens zien wat je hebt meegebracht,' grijnsde Dikke Michiel. Hij tilde me op en draaide me in de lucht

ondersteboven. Toen pakte hij me bij mijn voeten beet en begon me heen en weer te schudden. Het duurde lang tot al het geld uit mijn zakken was gevallen.

'Hé! Te gek! Schitterend! Een echte schat!' zei hij verbaasd en liet me gedachteloos vallen, als een lege zak.

'Inktvis! Raap dat eens op!' schreeuwde hij en hij bedoelde natuurlijk niet mij. Ik bestond al helemaal niet meer en je weet niet hoe blij ik daarom was. Ik sloeg het vuil van mijn handen. Ik had mijn val gelukkig kunnen breken. Ik had het dus gered. Ik had mijn eigen vrienden niet hoeven verraden. Die dikke sukkel had genoeg geld gekregen.

'Kom op! Actie! Actie!' riep Dikke Michiel. 'Het is genoeg voor een echte deal! Mijn neef heeft gisteren de lading van een supermarkttruck heel goedkoop kunnen kopen. En jullie weten wat dat betekent!'

De anderen juichten. De Inktvis liep te zwaaien met zijn handen vol met mijn geld. Even later waren ze er allemaal vandoor. Ik haalde opgelucht adem en opeens vond ik de drie graffiti-torens de veiligste plek van de wereld. Maar toen keerde Dikke Michiel terug.

'Was ik jou bijna vergeten!' slijmde hij. 'Dat spijt me oprecht. Je brengt ons vrijdag nog zoiets, maar dan drie keer zo veel! Duidelijk?'

'W-w-wat zeg je? Ben je gek geworden? Waar moet ik zo veel geld vandaan halen?' riep ik. 'Nee, vergeet het maar! Dat red ik nooit!'

'Dat méén je niet!' grijnsde Dikke Michiel. 'En hoe zit het dan met de poen voor Willies verjaarscadeau? Daar hebben jullie toch geld voor ingezameld?'

Ik was geschokt. 'Hoe weet jij dat?' vroeg ik ongelovig.

Dikke Michiel fronste zijn wenkbrauwen. 'Ha! Eindelijk stelt hij vragen!' lachte hij. 'We weten alles over jullie. Wíj doen het namelijk niet in onze broek van angst.'

Met deze woorden gaf hij me een veel te harde klap op mijn schouder. 'Zie je, er is voor alles een oplossing!' Hij knipoogde bemoedigend. 'Zeker voor een man als jij!'

Hij kneep nu zo hard in mijn hand dat de botjes kraakten. Ik stikte van de pijn. Maar Dikke Michiel scheen dat niet te merken. Hij boog zich naar me toe.

'Ik mag jou wel, wilde dwerg! We kunnen samen nog veel bereiken. Als je tenminste doet wat ik wil! Duidelijk?'

Hij kneep nog harder. Ik schreeuwde van de pijn. Toen kreeg hij eindelijk medelijden en liet mijn hand los.

'Zo mag ik het horen!' glimlachte hij. 'Succes! We zien elkaar vrijdag!'

Hij knipoogde nog eens naar me en liep toen achter de andere miskleunen aan.

Ik wachtte tot ze in het donker verdwenen. Zelfs toen bleef ik nog een poos staan en verroerde geen vin. Ik wilde er absoluut zeker van zijn dat hij niet nog een keer terug zou komen. Ik wilde hem nooit meer zien.

Mijn hand deed pijn, maar was nog heel, gelukkig! Toen ik hem omdraaide en mijn vingers probeerde te krommen en te strekken, viel mijn blik op de tattoo van de Wilde Bende. En morgen... Morgen was de laatste dag dat ik daar lid van was.

Ik werd opeens witheet en ik schreeuwde zo hard ik kon: 'Pap! Hoor je me, papa? Hier staat Joeri! Joeri "Huckleberry" Fort Knox, het eenmans-middenveld. En ik zweer je dat ik mijn vrienden nooit zal verraden. Nooit, hoor je?'

Toen veegde ik de tranen van mijn wangen en voegde er zachtjes aan toe: 'In elk geval niet vrijwillig.'

Op dat moment ging een licht aan. Het was maar een paar meter bij me vandaan. De leeslamp in de cabine van de vrachtwagen verlichtte het gezicht van de chauffeur. Het was de vrachtwagen waarop ik eerder in elkaar geslagen was. Ik herkende ook het gezicht van de chauffeur van toen. Hij keek me aan, alsof hij me op de een of andere manier wilde helpen, alsof hij achter me stond en de hele tijd over me waakte. Maar ik rende weer weg, ik kon niet anders.

De veiligste plek ter wereld

De volgende morgen ging alles goed. Toen ik wakker werd scheen de zon in mijn kamer. Op haar gouden stralen stuurde ze me een gedachte die me opluchtte.

Dikke Michiel en zijn miskleunen hadden nooit van hun leven geloofd dat ik hun geld zou komen brengen. Dus waarom żouden ze het de volgende keer geloven? Ik moest de afgelopen nacht gewoon vergeten, zoals je een nachtmerrie vergeet. Dan was de wereld weer mooi. En wat is gemakkelijker dan een droom te vergeten nadat je wakker bent geworden?

Toen ik aan het ontbijt verscheen, stak Josje onmiddellijk zijn vuisten op. Hij verwachtte blijkbaar weer een zoen. Maar die kreeg mijn moeder. Als troost voor haar zorgen om mij. Ik gaf haar de zoen vol trots. Ik had mijn woord gehouden. Al mijn problemen waren opgelost. En niemand had er ook maar iets van gemerkt.

De schooldag vloog voorbij en een reden daarvoor was dat Dikke Michiel niet kwam. Hij had voor zichzelf en zijn bende met mijn geld bij zijn neef kilo's snoep geregeld. Dat wist ik en met al dat snoep in hun buik lagen ze nu vast ergens in de zon. Maar dat maakte mij niets uit. Om mijn geld maakte ik mij ook niet druk. Het was beslist geen verkeerde investering. Elke minuut zonder Dikke Michiel was me dat waard. Ik was opgelucht en vrolijk. Zelfs Fabi vergat hierdoor dat hij me gisteren gezien had. Gisteren, toen ik mijn spaarvarken voor zijn ogen stuksloeg.

Of deed hij maar alsof? Wist de Wilde Bende al van mijn ontmoeting met Dikke Michiel? Ik kreeg vaag die indruk. De blikken die ze me toewierpen als ze dachten dat ik het niet merkte. Die blikken waren volkomen duidelijk.

Maar nee. Dat kon niet zo zijn. Stop! Dit was de achtervolgingswaanzin van een dief. Maar ik was helemaal geen dief en daarom had ik ook niets te verbergen!

In de Duivelspot zetten we de training van de vorige dag voort. Maar deze keer haalde Willie me eruit en weer schoot het door mijn hoofd: nu verdenkt mijn trainer me ook al! Weer die achtervolgingswaanzin... Maar Willie zette me alleen maar in de verdediging. Ik moest de anderen bij hun tegenaanvallen storen en hen dwingen directer te spelen.

Helaas mislukte Willies plan. De anderen, vooral Marlon en Leon, waren gewoon te goed. Ze speelden kat en muis met me. Ik had geen schijn van kans. En toen Leon me als een beginner poortte, gooide ik de handdoek in de ring. Ja, ik gaf het op. Dat wil zeggen, dat wilde ik doen, maar toen stond Sokke, Leons hond, voor me. Hij trok zijn lippen op, en legde zijn vleermuisoren in zijn nek. Grommend liet hij zijn tanden zien.

'Laat me! Je hebt er geen bal verstand van!' siste ik, maakte een zijsprong en liep Sokke voorbij.

Maar al na drie passen hoorde ik een vreemd gejank. Ik draaide me om naar Sokke, en die rare hond liep inderdaad achter me aan en lachte me uit! Hij jankte luid en trok daarbij zijn staart zo ver tussen zijn poten dat het wollige einde ervan tussen zijn voorpoten verscheen. Op deze manier kon hij helemaal niet meer lopen. Hij huppelde meer en liet daarbij die domme grijns zien. Ja, echt waar. Sokke is zo'n hond die slim genoeg is om te grijnzen en dat grijnzen was de druppel die de emmer deed overlopen. Een hond moest mij niet uitlachen! En een hond moest zeker niet beweren dat ik met de staart tussen mijn benen zou willen verdwijnen...

Daarom balde ik mijn vuisten, liep naar hem toe en siste tegen het beest: 'Oké, jij wint! Zal ik ze nu dan maar een poepie laten ruiken?'

En dat deed ik dus ook. Vanaf nu hadden de anderen hun kansen al verspeeld. Ik werd het woedendste eenmansmiddenveld ter wereld. Ik speelde zo koppig als een terriër. En ik was zo kuitenbijterig goed dat Sokke rustig ging zitten. Vanaf de zijlijn keek hij naar me, blafte en joelde zijn applaus. Na een laatste spreidsprong om een doelpunt te verhinderen bleef ik uitgeput liggen. Sokke stormde naar me toe en likte me af. Ook de leden van de Wilde Bende kwamen naar me toe. Ze feliciteerden me allemaal. En Willie droeg me hoogstpersoonlijk op zijn schouders naar zijn stalletje. Daar kregen we cola en voetbalverhalen tot het donker werd.

Nadat Willie was weggegaan, zamelde Fabi het geld in voor Willies verjaarscadeau.

'Honderdachtenzestig euro,' zei hij nadat hij de briefjes en de munten geteld had. 'Dat moet genoeg zijn. Ik ken een tweedehandswinkel waar mijn moeder vaak koopt. Daar kun je vast wel een pak kopen. We zullen Willie niet herkennen als hij dat aantrekt.'

Fabi grijnsde tegen ons. Toen trok hij de pet van mijn hoofd en schudde daar al het geld in.

'Alsjeblieft, Joeri!' zei hij, terwijl hij me de pet teruggaf. 'Jij past op ons geld.'

'Ik?' vroeg ik verbaasd.

'Ja, jij!' antwoordde Fabi en keek me recht in mijn ogen. 'Jij heet toch Fort Knox? En Fort Knox is de veiligste plek ter wereld, als het om geld gaat! Of heeft iemand misschien een andere mening?'

Fabi en ik keken naar de anderen, maar geen van hen sprak zijn voorstel tegen. Ik werd rood en stotterde schor: 'Dank je.' Ik pakte mijn pet aan en stopte die met het geld erin in de zak van mijn broek.

'Oké,' zei Fabi glimlachend. 'Alles is cool!'

'Zolang je maar wild bent!' antwoordde ik zachtjes. Ik fietste zo trots als een pauw naar huis.

Bij het douchen liet ik het douchegordijn een stukje open en hield mijn broek, ondanks shampoo en zeep, steeds in het oog. Daarna stopte ik alles onder mijn hoofdkussen. Geld, pet en broekzak, eh... ik bedoel natuurlijk geld in de pet, pet in de broekzak en mijn broek onder m'n kussen. Ik dacht aan mijn vader. Als die eens zou weten hoe mijn vrienden me vertrouwden! Toen viel ik in slaap.

Een 'feel good'-droom over monsterkwallen

Ik sliep heel vast en heel rustig en droomde dat ik in de zee was. Als een vis dook ik onder de golven door, toen mijn tenen plotseling iets raakten. Geschrokken keek ik in de diepte. En ik zag zeven vette, melkkleurige kwallen. Ze dreven om me heen en een van hen had lang, vet, piekerig haar

en een tattoo van een spinnenweb op zijn voorhoofd. Direct herkende ik de gezichten van de Onoverwinnelijke Winnaars. Ze werkten zich uit hun glibberige kwallenlijven, grijnsden tegen me en probeerden me met hun kleverige armen te vangen. Hun tentakels begonnen al te rukken en te trekken aan iets wat ik in mijn hand had. Shit, dat was de pet met het geld voor Willies cadeau!

'Nee!' wilde ik schreeuwen. 'Dit krijgen jullie niet!' Maar onder water kun je niet schreeuwen. Daar kun je alleen maar brullen. En dat deed de dikste kwal. Oorverdovend brulde hij. Hij schoot op me af en echt op het allerlaatste moment ging ik er pas vandoor. Als een pijl schoot ik terug naar het wateroppervlak, vloog de lucht in en botste daar tegen iets roods op.

'Hé, hop! Hé, hop! Hé, hop! Ik word duizelig!' lachte de jongen met rood haar en een bril met jampotglazen. Hij vloog dansend om me heen. 'Hé, Joeri, waar kom jij vandaan?'

Ik was heel verbaasd. 'Raban? Ben jij het echt? Sinds wanneer kun jij vliegen?'

'Hoezo? Dat kun jij toch ook, rare kippenkakker! Kijk, het is fantastisch!' riep hij en hij maakte een dubbele salto.

Nu begreep ik dat ik ook vloog. Ik keek naar beneden naar de zee, die vijftig meter onder me lag. Wauw! Dit was gaaf! Ik strekte mijn armen uit, draaide samen met Raban een zuivere looping, ging in duikvlucht, draaide me op mijn rug en schoot vlak over de golven weg.

Het klonk als WOESJJ! Vlak naast me schoten fonteinen uit de zee, alsof iemand waterbommetjes had afgestoken. WOESSJ! WOESSJ! WOESSSJJJ! Steeds weer klonk dat geluid om me heen en uit de fonteinen schoten de kwallen omhoog.

'Raban! Pas op!' schreeuwde ik. 'Dat zijn de Onoverwinnelijke Winnaars! Die miskleunen willen ons geld!'

Maar Raban bleef kalm. Volkomen rustig zat hij daar, in kleermakerszit, in de lucht, alsof hij op een vliegend tapijt zat.

'Nou, eindelijk! Hoogste tijd,' zei hij alleen maar.

'Wat? Ben je gek geworden! Dat zijn monsterkwallen!' riep ik boos tegen hem. 'Krabbenkippen en klauwenkak! We moeten hier weg!'

Maar Raban lachte me uit.

'Monster... wat? Ja, misschien heb je gelijk. Maar alleen als het nu carnaval is!'

Ik begreep er geen klap van.

Raban was gek geworden! De Onoverwinnelijke Winnaars waren met zijn zevenen en wij met zijn tweeën. We hadden geen schijn van kans. Ze zouden ons opvreten en in hun melkkleurige magen verteren!

'Kom alsjeblieft mee, we gaan weg,' schreeuwde ik tegen hem.

Maar Raban trok in plaats daarvan een naald uit zijn broekzak en gaf die aan mij. 'Als dat monsterkwallen zijn, kan ik niet vliegen!' Hij grijnsde, nam zelf een naald in zijn hand en viel aan.

'Het zijn gewoon luchtballonnen, Joeri!' riep hij en liet de eerste knallen. 'Kijk, wat zei ik je? Onschuldige ballonnen.' Hij prikte de tweede lek.

Ik geloofde het niet. Maar toen verscheen de kwal met het lange, vette piekhaar en de tattoo. Uit het niets was hij opeens vlak voor me. Van schrik stak ik hem in zijn neus. PATS! Het werkte! Ik lachte en suisde naar de anderen toe. PATS! PATS! Dat waren de Zeis en Kong! Raban nam de Stoomwals voor zijn rekening en ten slotte trokken we samen het touwtje uit het ventiel van Dikke Michiel.

Brroemmm psss! De dikke ballon liet een scheet en toen schoot hij – brrsssp! – door de lucht, tot hij als een verkreukeld rubberen vodje op het water kletste.

Dat was de beste droom van mijn leven, dacht ik nog. Toen rekte ik me uit, gaapte in mijn slaap en verheugde me op de volgende dag.

Fort Knox

Ik sliep als een os en pas toen de zon aan mijn neus kriebelde, werd ik wakker. Ik knipperde een paar keer met mijn ogen. Toen sprong ik uit bed, haalde mijn broek onder mijn kussen vandaan en trok hem aan.

Ik vond het leuk mijn vrienden weer te zien en verheugde me op de training van vanmiddag. Daarna zouden we immers Willies verjaarscadeau gaan kopen en ik had het geld. Het zat nog steeds, in mijn pet gewikkeld, in mijn broekzak.

Mijn moeder trok haar neus op toen ik beneden kwam voor het ontbijt. 'Wil je dat vuile vod naar school aan?'

Verbaasd keek ik naar mezelf. Mijn broek was inderdaad niet erg schoon meer. Ik had hem zeker al zeven dagen aan. Eerlijk gezegd stonk hij en niet zo'n beetje ook.

'Kom op, Joeri,' zei mijn moeder. 'Doe alsjeblieft iets anders aan!'

'Nee, dat kan niet,' antwoordde ik en ik schoof doodleuk bij haar en Josje aan tafel.

'Joerie, alsjeblieft!' zei mijn moeder en dat vond ik zo cool van haar. Zelfs boos en de stank van mijn broek in aanmerking genomen, bleef ze nog altijd vriendelijk.

'Joeri! Er liggen vijf schone broeken in je kast.'

'Weet ik,' zei ik en ik pakte een broodje. 'En ik weet dat ik stink. Maar er zijn belangrijker dingen in het leven, mam!'

Ik sneed mijn broodje open, smeerde er boter en marmelade op en nam hongerig een hap. Mijn moeder zat me nog steeds aan te kijken en haar voorhoofd raakte vol boze rimpels.

'Ja,' zei ik. 'Zo is het. Ik ben Joeri "Huckleberry" Fort Knox en deze broek hier is mijn brandkast.'

Mijn moeder hield haar hoofd scheef en keek mijn broertje aan.

'Klopt,' bevestigde Josje ernstig. 'Vord Noks is de veiligste plek ter wereld!'

'Nou, wat heb ik gezegd?' grijnsde ik. 'Of wil jij straks de schuld krijgen als het geld voor Willies verjaarscadeau door Dikke Michiel gepikt wordt?'

Geschrokken kromp ik in elkaar. Wat had ik daar gezegd? Niemand wist van Dikke Michiel en mij. Of toch?

Josje en mijn moeder keken me verbaasd aan. Wat dachten ze nu? Wat wisten ze al? Nee! Ik moest hier weg en zo snel mogelijk.

'Oké, we zien elkaar vanavond. De training begint meteen na school. En daarna gaan we Willies cadeau kopen!' zei ik. Ik pakte mijn rugzak, rende door de keukendeur de tuin in, greep mijn fiets, sprong erop en was even later verdwenen.

Mijn moeder en Josje keken me met gefronste wenkbrauwen na. Het was net kwart over zeven. De school begon pas om acht uur en de weg naar school duurde zeven minuten – als je heel langzaam reed. Zij vroegen zich natuurlijk af: Waarom is Joeri zo bang voor Dikke Michiel?

Allen voor één

Ik fietste zo snel ik kon. Alleen vandaag nog, dacht ik. Dan was alles voorbij. Dan was ik van het geld af en verlost van Dikke Michiel! Want dan had Willie zijn verdiende pak. In dat pak zat hij morgen, zondag om tien uur, op de trainersbank om met ons onze eerste wedstrijd te winnen. Onze eerste wedstrijd in de Duivelspot, ons stadion, in onze eigen competitie.

Wauw! Dat was een goed gevoel! Ik zag alles duidelijk voor me. Hoe we onze pikzwarte shirts aantrokken met het logo van de Wilde Voetbalbende. Hoe we in de knaloranje kousen het veld op liepen en een kring vormden. Met de armen om elkaars schouders stonden we daar en dan schreeuwden we samen knalhard onze strijdkreet. 'RAAAHHH!' klonk het door de stad. Opeens wist ik het heel zeker: zo zou het gaan en niet anders.

De wind voelde al een beetje koel en de lucht smaakte en rook al iets naar herfst. Heel waarschijnlijk was het de laatste mooie nazomerochtend en ik was zo in gedachten dat ik de Inktvis niet zag die langs de stoeprand stond.

'Hé, Joeri!' riep hij met een stem, zo scherp als een scheermes. 'Alles goed?'

Ik kromp ineen en leek me niet meer te kunnen bewegen. Ik zag alleen maar dat lange, vette piekhaar en die tattoo van het kruisspinnenweb. Verder zag ik niets. Ook niet het stoplicht dat nu op rood sprong.

'Hé, Joeri, pas op!' schreeuwde een andere stem, en ik kon op het laatste moment nog remmen. De auto die voor me langs over de kruising reed, raakte me bijna.

'Dampende kippenkak! Dat scheelde niks!' schreeuwde Raban en hij stopte met zijn fiets naast me. Zijn ogen, achter de jampotglazen van zijn bril, keken me streng aan.

'Wat is er met jou aan de hand?' vroeg hij verwijtend, maar ik keek alleen maar om naar de Inktvis. Die slenterde naar ons toe.

'Niets. Wat zou er moeten zijn?' antwoordde ik boos. 'Ik heb een nachtmerrie gehad!'

'En hij hier? Wat wil die van jou?' Raban knikte met zijn hoofd in de richting van de Inktvis.

'Hoe moet ik dat nou weten?' blufte ik en ik reed weg. Het stoplicht was nog rood. Het kon me niet schelen en Raban dacht daar net zo over. Hij keek met zijn grote ogen nog vlug een keer om naar de Inktvis die gevaarlijk dichtbij kwam. Toen riep hij: 'Hé, Joeri! Wacht op mij!' En hij stoof achter me aan.

Het schoolplein lag er verlaten bij. Zelfs de leraren waren er nog niet. Toen Raban en ik onze fietsen op slot zetten, floot een frisse wind in ons gezicht. Een wind uit de donkerste hoeken van de wereld, en met deze bries in de rug kwamen Dikke Michiel en zijn miskleunen op ons af.

Raban deed onwillekeurig een stap naar achteren.

'En zij? Willen zij soms ook niks van je?' schold hij.

'Weet ik veel? Ik dacht dat ze voor jou kwamen!' loog ik en bad dat er hulp kwam opdagen.

Die hulp was er allang. Ik wist het alleen niet. Ze lagen allemaal plat op het dak van het fietsenhok achter me en hielden ons nauwlettend in de gaten. Leon, Fabi, Marlon en natuurlijk Vanessa. Ja, en ook de andere leden van de Wilde Bende waren gekomen om Raban en mij te helpen: Felix de wervelwind, Rocco de tovenaar, en Max, de man met het hardste schot van de wereld. Ze spanden hun spieren voor de sprong.

Leon stak zijn hand op... 'Nee, nog niet,' fluisterde hij.

'Maar wanneer dan?' protesteerde Fabi. 'Nog vijf meter en Dikke Michiel heeft ze vermorzeld!'

'Weet ik,' zei Leon, 'maar dit is geen voetbal! We hebben geen schijn van kans!'

'Kan me niet schelen,' protesteerde Fabi. 'Het zijn mijn vrienden!'

'En de mijne!' fluisterde Vanessa. 'We springen op drie!'

'Mooi niet!' zei Leon. 'Wil je dat Joeri en Raban iets overkomt?'

Vanessa keek hem giftig aan. 'Dit was jouw plan. Door jou zijn die twee daar beneden!'

'Precies. En daarom haal ik ze daar ook uit!' siste Leon.

Maar dat deed hij niet, althans nog niet. Dikke Michiel kwam naar ons toe. Als een grote onweerswolk hing hij boven me. Mijn rechterhand verdween in mijn broekzak, naar de pet. Daarin zat het geld. De dikke Darth Vader bleef staan. Een halve meter voor Raban en mij bleef hij staan en wachtte genietend tot zijn roversbende ons omsingeld had.

'Dampende kippenkak!' vloekte Raban wanhopig. Hij sloeg tegen de stalen wand van het fietsenhok, wat een denderend lawaai maakte. 'Dampende kippenkak! Horen jullie me? Ik waarschuw jullie. Ik ben niet alleen!'

Maar de leden van de Wilde Bende lagen nog altijd doodstil op het dak en keken naar Leon.

'Bijna,' beduidde hij en wees naar de parkeerplaats, waar de auto van de directeur op dat moment stopte. 'Pas als hij uitgestapt is, springen we! Daar gaan we! Nu!'

En met een hartverscheurend geschreeuw sprongen ze. De mannen van de Wilde Bende leken een waterval van pikzwarte ninja's. Beneden grepen ze de handen van de Onoverwinnelijke Winnaars beet en schudden ze enthousiast.

'Hoi, Inktvis!' zei Felix stralend. 'Waar heb je die prachtige tattoo vandaan? Of waren de spinnen zo bang voor de inktzwarte duisternis in je kop dat ze maar naar buiten kwamen?'

'Hé, Michiel!' riep Marlon met zijn vriendelijkste grijns. 'Je bent nog dikker geworden dan je al was!'

'En jij bent nog altijd even lelijk.' Dat was Vanessa met een poeslief stemmetje in het oor van de Zeis.

De Onover-
winnelijke Winnaars
waren totaal overrompeld.
Net nog hadden ze Raban en mij als
hun zekere buit gezien. Daarna waren er
ninja's uit de hemel komen vallen. En toen stond totaal onverwachts ook nog de directeur van de school voor ons. Grijs en streng keek hij ons onderzoekend aan over zijn bril zonder montuur. De Zeis kon nog net zijn fietsketting in de broek van de Inktvis proppen.

Toen was het stil.

Alleen het fluiten van de wind was nog te horen. Of kwam dat ruisend geluid van de radertjes in Michiels hoofd die oververhit raakten? Ik weet het niet. Maar van vechten was nu geen sprake meer. Zeker niet voor de ogen van onze directeur. Leons plan was perfect verlopen. Raban en ik waren gered en Dikke Michiel restte niets anders dan ons te bedanken voor onze gemene begroeting. Hij pakte mijn hand en kneep er zo hard in dat ik mijn kiezen op elkaar moest klemmen om niet te kermen van de pijn.

'Niet bang zijn! We zien elkaar nog, Huckleberry!' hijgde hij zachtjes in mijn oor. Toen keek hij de directeur aan en zei: 'Goedemorgen!' Hij grijnsde zo breed hij kon. Hij draaide zich om en liep weg met zijn *gang* in zijn kielzog.

We hadden het liefst de armen om elkaar heen geslagen. En we wilden elkaar feliciteren met de overwinning, maar de directeur stond er nog steeds. Hij schoof zijn bril iets hoger op zijn neus en stelde vervelende vragen: 'Wat heeft dit te betekenen? Leon Masannek, jij denkt maar dat alles kan, hè? En Joeri Rijks, wat heb jij met Dikke Michiel te maken?'

Toen kwam Josje, ons geheime wapen. Hij kwam regelrecht van huis, pakte de directeur zijn tas uit zijn hand en vroeg: 'Mag ik die voor u dragen?' We hadden hem allemaal kunnen knuffelen. 'Dat wil ik heel graag,' verzekerde hij de directeur. Hij liep weg met de tas en de directeur kon niets anders doen dan mijn broertje en zijn tas te volgen.

Alleen Raban kookte van woede!

'Dampende kippenkak!' schold hij. 'Leon, dit doe ik echt nooit meer! Joeri en ik zaten al bijna tussen de varkenspootjes van Dikke Michiel!'

Maar Leon reageerde niet op Rabans protest. In plaats daarvan kwam hij naar mij en sloeg zijn arm om mijn schouders. 'En hoe is het met jou? Alles goed?' vroeg hij ernstig en ik had een kikker ter grootte van een nijlpaard in mijn keel.

'Hoezo? Wat moet er dan zijn?' kreeg ik er met moeite uit en vervloekte mezelf. Waarom zei ik niet eindelijk iets? Mijn vrienden hadden me toch net hun vertrouwen bewezen? Ze hadden hun leven voor me gewaagd. Waarom gaf ik niets terug? Ik wist het niet. Ik voelde alleen maar het briefje dat Dikke Michiel in mijn hand had gepropt voor hij wegliep.

De dief in de Duivelspot

'Niet bang zijn! We zien elkaar nog, Huckleberry!' dreunde het maar steeds door mijn hoofd.

Ik had me op school in een van de wc's opgesloten en staarde naar het briefje in mijn hand. Nauwelijks leesbaar stond daar in grote hanenpoten:

Er liep een rilling langs mijn rug. Wat moest ik doen? De wereld had niet altijd een directeur bij de hand om ons tegen de Onoverwinnelijke Winnaars te beschermen. Nee. Ik mocht de Wilde Bende hier niet in betrekken. Dit had met voetballen niets meer te maken. Zij hadden morgen in de Duivelspot, in de schijnwerpers, hun eerste belangrijke wedstrijd in hun eigen competitie. Natuurlijk moest ik mijn broertje beschermen. Josje kon er al helemaal niets aan doen. Dit was allemaal mijn schuld. Ik was naar de graffiti-torens gegaan, niet hij. En ik had het verdrag met Dikke Michiel gesloten. Misschien hoorde ik nu wel bij zijn bende. Dat besefte ik opeens. Ik was naar de graffiti-torens gegaan om mijn vader te vinden. En als hij daar echt woonde, hoorde ik daar natuurlijk thuis!

De eerste bel ging. Zo meteen begonnen de lessen. Ik gooide het briefje in de wc, spoelde het door en liep de gang op, naar de anderen. Alsof er niets aan de hand was.

De hele dag op school, zes lange uren, speelde ik de oude Joeri 'Huckleberry' Fort Knox. In werkelijkheid zocht ik naar een kleine kans om eens en voor altijd uit dit leven te verdwijnen.

Maar zo gemakkelijk gaat dat niet. Mijn vrienden waren hartstikke bezorgd om me, vooral Vanessa, Marlon en Rocco. Ik was geen seconde alleen. Het was al een wonder dat ik mijn voetbalschoenen in mijn kastje kon verstoppen zonder dat een van hen het merkte.

Eindelijk klonk het bevrijdende geluid van de bel. Iedereen pakte zijn tas en stormde naar buiten, het schoolplein op. We moesten trainen. De laatste training voor de belangrijke wedstrijd. In het fietsenhok was het een gedrang van jewelste.

Opeens riep ik: 'Hè, nou heb ik mijn voetbalschoenen vergeten!'

De anderen keken me aan alsof ik mijn hoofd thuis had gelaten.

'Ja, ik weet het!' zei ik en deed alsof ik me schaamde. 'Maar ik moet vlug naar huis. Over twintig minuten ben ik in de Duivelspot. Beloofd!'

De anderen zwegen.

'Wat nou?' vroeg ik. 'Wat is er aan de hand?'

Fabi kuchte als eerste. 'Eh... welke maat heb je, Joeri?'

'Ik? 36! Hoezo?' vroeg ik.

'Nou, omdat ik toevallig twee paar voetbalschoenen bij me heb,' zei Rocco glimlachend. 'En ik heb dezelfde maat als jij.'

'W-w-wat zeg je?' stotterde ik. 'T-t-twee paar?' Ik staarde ontzet naar mijn vrienden. Iedereen glimlachte naar me.

'Je kunt Rocco's schoenen aan,' zei Vanessa, alsof dat de normaalste zaak van de wereld was. 'Gaan we nu eindelijk? Joeri, jij rijdt vandaag op kop.'

Ik stond perplex. Dit was een onvoorstelbare eer voor me. Vanessa reed altijd op kop. Ze was de beste fietser van het team. Ze gaf het tempo voor de anderen aan en ze gaf op de heuvel vóór het stadion het bevel tot de sprint. Pas wanneer een van ons haar daarin versloeg, mocht hij op kop rijden. Maar dat, wisten we allemaal, zou pas gebeuren als Vanessa twee gipsbenen had. Zelfs Leon en Fabi, die anders altijd de aanvoerders waren, hadden nooit van Vanessa kunnen winnen. Ze hadden nog nooit op kop gereden.

Ze protesteerden niet, want niemand waagde het Vanessa's voorstel tegen te spreken. Ze was wat fietsen betrof de onbetwiste kampioen. Ze pakte me beet en duwde me naar mijn fiets.

Een paar seconden later vloog ik de straat uit. Maar ik voelde me allesbehalve vereerd. Ik voelde me alsof ik in een röntgenapparaat stond en van mijn kruin tot aan de puntjes van mijn tenen werd doorgelicht. De blikken van de anderen brandden gaten in mijn rug. Daardoorheen konden ze mijn donkere geheimen zien.

Ik trapte op de pedalen alsof ik aan die blikken wilde ontkomen. O, wat háátte ik hen! Waarom deden ze dit? Ik dacht dat ze mijn vrienden waren. Maar niemand wantrouwde me méér dan zij. Ik mocht alleen maar op kop rijden omdat ze bang waren dat ik er met het geld vandoor zou gaan. Krabbenkak en kippenklauwen! Hoe zou ik dat kunnen doen als ze me geen seconde uit het oog verloren? Hoe moest ik Josje beschermen en hoe moest ik voor hen verbergen waar mijn vader vandaan kwam en waar ik thuishoorde?

Ik fietste nog iets harder en schaamde me. Ik was woedend op alles en iedereen. Ik wilde alleen maar weg. Geen moment kwam het bij me op dat mijn vrienden me misschien wilden helpen. Zelfs de voetbalschoenen die Rocco me leende, beschouwde ik als puur wantrouwen. Maar hun hulp dan? Toen ze vanmorgen als zwarte ninja's uit de hemel op het schoolplein sprongen? Hadden ze me echt tegen Dikke Michiel beschermd? Nee, dat geloof je toch niet? Nee, ze wilden alleen zorgen dat hij ons geld niet kreeg. Hún geld, bedoel ik. En daardoor werd ik steeds bozer.

Ik zette nog een tandje bij, en toen ik bij de heuvel voor de Duivelspot kwam, schreeuwde ik zo hard ik kon: 'Sprint!'

Ik sloeg drie versnellingen over. De ingang in de schutting schoot op me af, en gejaagd keek ik over mijn schouder. Vanessa en Marlon zaten me op de hielen. Maar ze haalden me niet in. Krabbenkippenklauwenkak! Ik was inderdaad te snel en als winnaar trok ik beide remmen aan. Stofwolken vlogen wervelend op. Kiezelstenen schoten links en rechts door de lucht. Toen stond ik stil. Een nanoseconde later steigerden ook de fietsen van Vanessa en Marlon als paarden en kwamen rakelings naast me voor de ingang tot stilstand.

Ze keken me aan en zeiden geen woord. Ze zwegen tot de anderen naast ons stopten. Toen pas floot Vanessa tussen haar tanden en Marlon fluisterde nauwelijks hoorbaar: 'Wauw!'

'Dat was echt wild!' hijgde Fabi.

Leon gaapte me hijgend aan. 'Dat is nog nooit iemand gelukt!'

'Dampende kippenkak! Dat klopt! Joeri, je hebt Vanessa verslagen!' riep Raban.

Vanessa knikte naar me. Meer kon ze niet. Ze was buiten adem.

Marlon snoof uitgeput: 'Wauw, Joeri! Wat een sprint! Van school tot in de Duivelspot. Zoiets lukt niemand!'

Ik grijnsde naar hem. 'Meen je dat?' riep ik. Ik wilde het gewoon niet geloven.

'Ja, helaas wel!' siste Vanessa en ze lachte naar me. 'Maar dit was een nederlaag waarop ik trots kan zijn.'

Eindelijk schoot het bloed naar mijn hoofd. Ik had het gevoel dat ik licht gaf als een vuurtoren in de mist, maar het maakte mij niets uit.

Even later stonden we in onze arena. Willie wachtte ons op en ons goede humeur werkte aanstekelijk. De knorrige trainer, die er meestal even verkreukeld uitzag als zijn jack, begroette ons met een zin die we nog nooit van hem hadden gehoord.

'Vandaag wordt alleen maar een partijtje gespeeld!' riep hij en hij schoot de bal de lucht in. 'Verdediging tegen een aanval! Joeri, Max, Marlon, Josje, Marc en Vanessa tegen Jojo, Leon, Fabi, Felix, Rocco en Raban. Waar wachten jullie nog op?'

Dat lieten we ons geen tweede keer zeggen.

Onze fietsen gooiden we langs de kant en broeken, jacks, schoenen en truien vlogen door de lucht. Dertig seconden later stonden we in voetbalbroek en -shirt op het veld.

Iedereen, behalve ik. Ik had natuurlijk mijn gewone broek aan, vanwege het geld.

Toen begon het.

Felix tikte de bal voor de aftrap kort aan. Leon stopte hem en in mijn team rekende iedereen erop dat hij hem naar Rocco terug zou spelen.

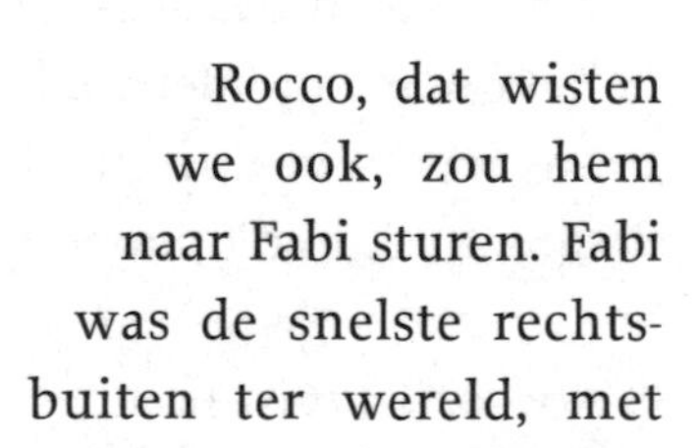

Rocco, dat wisten we ook, zou hem naar Fabi sturen. Fabi was de snelste rechtsbuiten ter wereld, met zijn dieptepass in de richting van ons doel. En daarom vloog ik naar Fabi. Ik zou hem dekken en Marlon rende Leon voorbij. Hij wilde Rocco's dieptepass verhinderen. Maar Marlon schoot in de lege ruimte. De terugpass bleef uit. Leon had de bal namelijk helemaal niet gestopt. Hij had hem alleen maar met zijn zool geaaid, hem daarbij voorgespeeld en nu gaf hij gas.

Van nul naar honderd was Leon de snelste. En vóór Marlon in de gaten had wat Leon van plan was, was die allang voorbij Vanessa. Ook Max probeerde een dubbele slalomdribbel, en daarom rende ik weer terug. Met het vuur aan mijn hielen joeg ik over het veld. Maar kon ik het doelpunt nog tegenhouden? Marc de onbedwingbare kwam uit het doel en stortte zich op Leon. Maar die sprong over de benen van de keeper heen en stuurde de bal, nog in de lucht, met zijn linker grote teen naar rechts. De bal vloog langs Josje, die hem als een woedende waakhond de weg naar het doel versperde. Maar van rechts kwam ik. Leon keek me even aan, maar hij aarzelde geen seconde. Hij dacht nog niet één honderdste hartslag na.

Hij was de jongen-van-de-flitsende-voorzetten. Dat wist iedereen en daarom speelde hij de bal met zijn hak naar links. Blind speelde hij de bal, want hij voelde in zijn voeten waar zijn spelers waren. En Jojo was links achter hem. Hij nam de bal aan en danste ermee door de middagzon verder naar links. Hij haalde uit voor het schot op het doel...

Maar wacht even! Ik was Joeri 'Huckleberry' Fort Knox, het eenmans-middenveld, en daarom rende ik tegelijk met Leons hakje weg. Ik maakte een spreidsprong voor Jojo. Ik dook voor Rocco op toen die mijn schot op de lat wilde pikken.

Rocco, dat wist ik, kon nooit iets gewoon doen. Een schot recht op het doel was hem te makkelijk. Hij stopte de bal liever eerst met zijn borst, tilde hem dan met zijn knie over zijn hoofd en speelde hem met de hiel naar rechts, om hem dan eindelijk, na een pijnlijk afscheid, in het doel te leggen.

Tot de hiel ging het goed. Toen pikte ik de bal van zijn schoen. Ik liet Fabi achter me, dreef de bal nog een paar meter naar voren en passte toen dodelijk naar Marlon. Die stond aan de middenlijn. Hij zette het op een lopen. En hoe Leon, Rocco, Jojo en Fabi hem ook verwensten, ze haalden hem niet meer in. Al hun hoop was op Felix en Raban gericht. Ze versperden Marlon de weg. Maar daar kwam Vanessa van links en die speelde sinds haar verjaardagsvoetbaltoernooi met Marlon samen alsof de voetbalgod hen online met elkaar had verbonden.

Zonder aanloop passte Marlon naar haar. Toen wisselden ze van positie en speelden viermaal de bliksemsnelle dubbelpass. Terwijl Felix en Raban zich oefenden in het zigzaglopen, schoven Vanessa en Marlon de bal samen in de goal.

Krabbenklauwen en kippenkak! Het leven was mooi. De graffiti-torens en Dikke Michiel leken niet meer te bestaan. Er was alleen nog maar de Duivelspot, mijn vrienden van de Wilde Bende en de wedstrijd van morgen.

En zo ging het tot het einde van de training. We verzamelden ons voor Willies stalletje om onze cola te drinken.

Fabian fluisterde in mijn oor: 'Vannacht om twaalf uur precies, verrassings-verjaarsfeest voor Willie!'

Ik keek hem aan alsof hij van een andere planeet kwam.

'Doorvertellen,' fluisterde Fabi.

Toen was ik er weer bij. Ik voelde me alsof ik van de luchtballonnen op de monsterkwallen in het water was gevallen. Alles schoot me in één klap weer te binnen. Dikke Michiel en zijn dreiging. Willies cadeau. De winkel met tweedehandsspullen waar we zo dadelijk heen wilden. Het geld in mijn broekzak dat dan voorgoed weg was! Wie moest dan Josje beschermen? Nee! Dat mocht niet gebeuren! Dat moest ik koste wat het kost verhinderen!

'Hup, doorvertellen,' fluisterde Fabi weer.

Maar ik sprong op, rende naar mijn fiets en ging ervandoor.

Fabi keek naar Marlon en die keek naar Vanessa. Vanessa keek naar Leon en die knikte naar haar.

'Ja. Maar rij niet te hard,' zei hij. 'Als hij je ziet, is alles verloren!'

Willie fronste zijn wenkbrauwen. Hij begreep er niets van. Hij wist dan ook niets van Dikke Michiel, niets van het geld dat nog steeds in mijn broekzak zat. Maar Willie behandelde ons nooit als kinderen. En ook al was hij een volwassene, hij begreep dat we dit probleem onderling wilden oplossen. Daar had hij respect voor. Daarom keek hij Vanessa alleen maar fronsend na. Ze reed weg van de Duivelspot om mij te achtervolgen. Ja, zelfs al had Willie vermoed wat er nu nog allemaal ging gebeuren, dan zou hij ons toch onze gang hebben laten gaan.

De ergste dag van mijn leven

Maar ik had het gewild. Ik wilde juist heel graag dat Willie iets deed tegen wat er nu nog ging gebeuren. En ik vraag jou om vergeving. En iedereen die de eed al heeft afgelegd. En ook aan iedereen die alleen maar een ezelsoor in de bladzijde gemaakt heeft, waarop de eed stond. Ik vraag al mijn lezers om vergeving. Niemand kende mij, maar jullie vertrouwden me, omdat jullie geloofden dat ik bij de Wilde Bende hoor.

Nu heb je het zwart-op-wit. Ik ben het niet waard om erbij te horen. Kom op, strijk de bladzijde met het ezelsoor glad, klap het boek dicht en geef het maar weg aan je grootste vijand. Dat lijkt me het beste want een boek dat jou alleen maar vertelt hoe je je vrienden verraadt kun je verder aan niemand cadeau doen.

Ik had niet alleen geld van mijn vrienden gestolen. Ik had niet alleen Willies verjaardagsverrassing verpest. Nee, ik liet hen ook nog bij hun eerste grote wedstrijd in de steek. Onze eerste wedstrijd in de Duivelspot. Ik was er zo trots op! Ik ging zelfs stiekem naar de graffiti-torens om het mijn vader te vertellen.

Mijn slechte geweten gaf me extra energie. Ik reed nog veel sneller dan op weg naar de training. Ik sprong over stoepranden. Ik vloog een trap af. En als een indiaan op zijn paard, hing ik opzij van mijn fiets om onder de slagboom door te schieten, die bij de ingang naar het Donkere Woud staat.

Nog een keer deed ik mijn best op de pedalen. Ik reed mijn fiets in het kreupelhout en verdween definitief voor de blikken van de wereld. Ik sprong over wortels en stenen. Ik reed bukkend onder takken door. En ik kwam bij de oude poort.

Ik remde en trok het voorwiel van mijn fiets omhoog als het hoofd van een paard. Ik danste op mijn achterwiel op de plaats. Nee, ook al was ik nu een verrader, ik zou mijn trots niet verliezen.

'Hé, Michiel!' riep ik. 'Ik weet dat je je hier verstopt! Ik ruik je, hoor je me? Ik ruik jullie allemaal!'

Een moment was het stil, maar toen kwamen ze tevoorschijn. Van overal kropen ze uit de schaduw naar voren. De Maaimachine, het Varkensoog, de Stoomwals en de Zeis, de Inktvis en Kong, de monumentale Chinees. Ze hadden zelfs takken, dikke en dunne, als camouflage op hun rug gebonden. Toen verscheen hij. Ik merkte het het eerst aan de steentjes die plotseling als regen uit de hemel vielen. Ze kwamen van de poort die kreunde onder het gewicht van Dikke Michiel. Donker stak zijn dikke lichaam af tegen de hemel. Mijn voorwiel stuiterde moedeloos terug op de grond.

'Waar is het geld?' vroeg Dikke Michiel alleen maar. Die vraag had ik verwacht. Maar behalve ik hoorde Vanessa het ook. Ze had zich tussen de struiken verstopt en hoorde en zag alles. Ook dat ik nu mijn hand in mijn broekzak stak en er de pet met het geld uit trok.

'Hier!' Met een gevoel van grote haat hield ik hem de pet voor. 'Hier heb je het! Maar ik waarschuw je, dikzak! Als jij Josje ook maar met één vinger aanraakt, ben je er gewéést!'

Dikke Michiel staarde me aan. Zijn brandende laserogen dwongen me bijna op mijn knieën. Maar ik hield stand onder zijn priemende blik. Hij lachte me uit. Hij hield zijn buik vast van het lachen. Op hetzelfde moment stortte zijn roversbende zich op me. De miskleunen gooiden me op de grond en rukten het geld uit mijn hand.

Gelukkig, dacht ik. Nu is alles voorbij.

Maar ik vergiste me.

De Inktvis en Kong trokken me overeind en hielden me vast.

'Wat willen jullie van me?' vroeg ik zo dapper als een haring die een school haaien in hun bek kijkt.

'We nemen je natuurlijk mee,' besloot Dikke Michiel. 'Of wil je misschien naar huis?'

Met deze vraag gleed hij als een rinoceros van de poort af en kwam met een reusachtige dreun op de grond terecht. 'Geloof je echt dat daar nog iemand is die je vanaf vandaag mist?'

Dikke Michiel had blijkbaar zoveel vet dat de val hem geen pijn had gedaan. Hij boog zich over me heen en grijnsde. Zijn laserogen troffen mijn hart en hielden dat minstens tien seconden lang vast.

Dit was het dan, dacht ik. Het geld was door de miskleunen op de grond gegooid.

Ik wilde en kón het niet begrijpen. Ik was weerloos van angst. Dikke Michiel liet een miskleun het geld oprapen. Toen gaf hij het bevel te vertrekken. Braaf marcheerde ik met hen mee. Mee de wereld in, waar ik vanaf nu deel van uitmaakte, aan de andere kant van het Donkere Woud. Ik had de wereld van de Wilde Bende verlaten, die bestond niet meer voor mij.

Daar kon zelfs Vanessa niets aan veranderen. Ze zat nog steeds tussen de struiken verstopt en keek me na. Ze beet op haar lip van woede. En haar donkere ogen gloeiden als kooltjes vuur. Maar toen ontdekte ze het muntstuk voor haar voeten. Het was mijn geluksmunt en die kende ze goed. We gooiden de munt voor elke wedstrijd omhoog, om de aftrap en de speelhelft te bepalen. En zo onverschillig als de Inktvis het roestige ding had weggegooid, zo voorzichtig raapte Vanessa de munt nu op.

Aan het einde van de wereld

We gingen het Donkere Woud uit. Wij, dat waren Dikke Michiel, zijn Onoverwinnelijke Winnaars en ik. We stapten door de muur van brandnetels en kwamen bij de Steppe op een plek waar ik nog nooit geweest was. De graffiti-torens lagen links van ons en we liepen er steeds verder vandaan. Als een horde nomaden liepen we de Steppe op tot het Donkere Woud, het laatste houvast uit mijn vroegere wereld, achter de horizon verdween. De zon zou algauw hetzelfde doen.

Zo dadelijk werd het donker en ik was op de verschrikkelijkste plek van de wereld. Ik voelde me alsof ik in een tienduizend meter diepe zee vol haaien zwom. Een ergere plek kon er niet bestaan. Plotseling stonden we op de top van een heuvel.

Dikke Michiel en zijn bende leken echt blij. Blijkbaar waren ze trots op wat ik nu te zien kreeg. Maar ik kon hun enthousiasme niet delen. Integendeel! Ik schrok vreselijk.

Attentie! Attentie! De rovers! De rovers! schoot het door mijn hoofd. Dat schreeuwde Josje altijd toen hij drie was. Dan fantaseerde hij een spannend verhaal waarin rovers onze kater Mickey in een zak wilden stoppen. En ik voelde me nu net Mickey. Ik stond op de top van de heuvel. Ik hoorde Josjes wanhopige waarschuwing, maar ik kon er niets aan veranderen dat ik zo dadelijk in de zak zou worden gestopt.

Beneden, aan de voet van de heuvel, lag een soort hol. Ja, dat is de beste omschrijving. Woonwagens en schuurtjes met golfplaten daken stonden weggedoken in de kom van het kleine dal. Tl-buizen zwaaiden in de wind en lasapparaten sisten rond gestolen auto's. Daartussenin stonden mannen en vrouwen die fluisterend met elkaar praatten en te hard lachten.

Toen ontdekte ik hem. Hij zat in het midden van het rovershol aan een klaptafel en telde geld bij het licht van een kaal peertje. De man was zo groot en fors als Atilla de Hun en ik wist meteen wie hij was. De hoofdman, Michiels neef. Ja, ik zeg nu Michiel, want in vergelijking met zijn neef was Dikke Michiel bijna mager.

De Onoverwinnelijke Winnaars keken elkaar stralend aan, alsof dat daar beneden de vervulling van al hun dromen was. Zo wilden ze allemaal ooit worden. En om dat duidelijk te maken snoven ze luidruchtig, schraapten hun kelen en spuugden op de grond. Toen sloeg Michiel zijn arm om me heen.

'Dat daar!' zei hij. 'Dat daar beneden, Huckleberry, is vanaf nu je grote geheim! Is dat duidelijk?'

Hij drukte me zo hard tegen zich aan dat ik bijna stikte.

'Duidelijk?' vroeg hij nog eens en ik kon nog net knikken. Toen liet hij me los.

'Ik zei het toch? Deze dwerg vond ik meteen al leuk. En nu hoort hij bij ons! Kom op! Zeg "hartelijk welkom" tegen hem,' lachte hij tegen zijn vrienden. Hij gaf me een klap op mijn schouder.

De anderen deden het na. Een voor een kwamen ze langs en grijnsden naar me. Toen liepen ze de heuvel af. Alleen ik bleef achter. Ik en een duistere Zeis. Argwanend liep hij om me heen.

'Ik hou je gezelschap!' fluisterde hij. 'Ik pas op je, snap je? Ik pas goed op je!'

'Dat meen je niet!' reageerde ik te hard. Ik moest mijn knikkende knieën overschreeuwen. 'Nooit geweten dat Zeis de naam van een beschermengel is.'

'Dat is ook niet zo, Huckleberry!' siste hij zonder gevoel voor humor. 'Ik ga je namelijk treiteren als je zelfs maar het kleinste verraad bedenkt. Snap je?'

Ik knikte gehoorzaam. Toen rende ik weg. Vergeleken met het gezelschap van de Zeis leek me het rovershol een oase van menselijkheid. De miskleunen werden er begroet alsof ze een stel knuffelbeesten waren. Kusjes hier en kopstootjes daar. Zelfs mij verging het niet anders. Ik voelde me als de mascotte van een voetbalelftal. Maar voor het eerst was ik ook helemaal zeker van mezelf.

Ja, want ik was aan het einde van de wereld. Ik bevond me

in de 99e hel en werd door de duivel hoogstpersoonlijk gekust. Dan kan iemand toch niets meer overkomen, wat denk je?

'Hoi, dikke man!' begroette Michiel zijn neef. 'Ik heb wat poen voor je. Hier, kijk maar!'

Hij keerde mijn pet met het geld voor Willies cadeau om op tafel.

'Dat is 168 euro. En daarvoor wil ik alleen maar het beste van je. Het beste van het beste! En vertel het ook aan mijn nichtjes. Vandaag is het partytime!'

Dikke Michiel en zijn neef keken elkaar grijnzend aan.

'Afgesproken, kleintje!' piepte de dikke roverhoofdman als een robot. '68 euro voor het feest. Maar de rest bewaar ik! Je moet ook aan later denken. De wind is al koud. Het wordt gauw winter!'

'Je doet maar!' lachte Dikke Michiel.

Toen draaide hij zich bliksemsnel om, want achter ons schoot de roldeur van een schuur omhoog en onthulde een vrachtwagenlading van het allerlekkerste snoep dat je je kunt voorstellen. Ja, en daar stond ook een van de drie nichtjes. Wauw! Wie was zij? Zoiets had ik nog nooit gezien. Zelfs niet toen Vanessa in ons team kwam. Maar Vanessa was dan ook even stoer als wij en daardoor leek ze net een jongen.

De Wilde Bende

Zoals afgesproken zat de Wilde Bende kort voor middernacht bijeen in Camelot. Zelfs Willie was er. En hoewel hij over een paar minuten veertig zou worden, dacht hij daar niet aan. Nee. Hij zat daar net als de anderen te wachten op Vanessa's verslag. Ze had het moeilijk, want ze was woedend. Ze ging tussen haar vrienden zitten.

'Fabi, je had gelijk,' begon ze boos. 'Joeri wordt door Dikke Michiel afgeperst.'

In de hal, de onderste verdieping van het boomhuis, werd gefluisterd.

'Joeri moest het geld voor Willies cadeau geven, anders zou die dikke griezel Josje gaan pakken.'

Weer werd er gefluisterd en er werden vuisten gebald.

Josje keek angstig op naar Vanessa. 'Maar waar is Joeri nu?' vroeg hij.

Vanessa zweeg. Ze beet op haar lip. Toen antwoordde ze zachtjes, alsof ze haar eigen woorden het liefst niet wilde horen: 'Ze hebben hem meegenomen naar de Steppe.'

Nu was het doodstil.

Op zo'n boodschap had niemand gerekend. De Steppe behoorde niet meer tot het land van de Wilde Bende. Die behoorde tot het rijk van de Onoverwinnelijke Winnaars. Daar was de Wilde Bende machteloos. Daar durfde geen van hen heen te gaan. Alsof hij hun lot voor altijd wilde bezegelen, sloeg de kerkklok middernacht.

Josje veegde de tranen uit zijn ogen. Hij keek naar Leon en Fabi. Maar zelfs de twee wildste leden van de Bende waren verlamd van de schrik. Dit had met voetbal niets meer te maken. Dit was helemaal geen spelletje meer. Dit was bloedige ernst. Dit was een strijd in een dimensie waarvan de Wilde Bende het bestaan pas nu besefte.

Leon de slalomkampioen, topscorer en de jongen-van-de-flitsende-voorzetten, was normaal nergens bang voor. Maar nu drukte hij zijn nagels hard in zijn handpalmen. Toen hij het niet meer uithield van de pijn, gaf hij een keiharde klap tegen de plankenwand.

Fabi, de snelste rechtsbuiten ter wereld, wist altijd uit elke val te komen. Maar nu had hij zijn sluwe glimlach verloren en beet hij op zijn duim.

Vanessa de onverschrokkene, hart en ziel van de Wilde Bende, keek geschrokken naar Marlon de nummer 10.

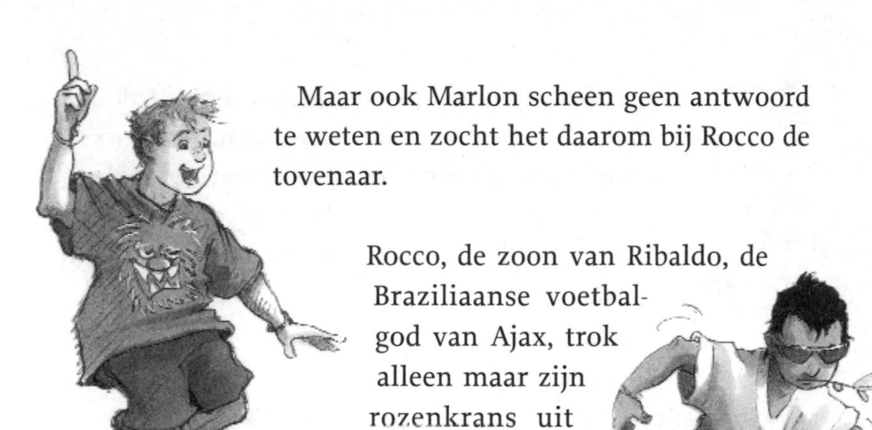

Maar ook Marlon scheen geen antwoord te weten en zocht het daarom bij Rocco de tovenaar.

Rocco, de zoon van Ribaldo, de Braziliaanse voetbalgod van Ajax, trok alleen maar zijn rozenkrans uit zijn broekzak.

Marc de onbedwingbare was allang bedwongen. En Jojo die met de zon danst, was alleen maar bang.

Felix de wervelwind vocht hoestend en rochelend tegen zijn astma.

En Raban de held sprong woedend op, trok aan zijn haar en keek wild om zich heen. Zonder een woord te zeggen ging hij weer zitten. Zelfs 'dampende kippenkak' kreeg hij niet meer uit zijn mond. Hij had zijn tong verloren, alsof hij Max was.

Maar Max 'Punter' van Maurik was het enige lid van de Wilde Bende dat zich niet bang liet maken.

Hij keek naar Willie, de beste trainer ter wereld. Hij slikte, slikte nog een keer en zei toen méér dan anders in twee jaar. 'De Duivelspot en de competitie interesseren me geen bal. Joeri is onze vriend en ik speel morgen niet zonder hem.'

Willie keek Max aan. Langzaam verscheen er een glimlach rond zijn mond en zijn ogen begonnen te stralen. 'Bedankt, Max!' zei hij. 'Dat is het mooiste verjaarscadeau dat je me kon geven.'

Ook Max glimlachte nu, maar de anderen begrepen er niets van. Wat bedoelde Willie? Hadden ze nu niet alleen mij, maar álles verloren? Alles wat ze zo belangrijk vonden? Hun elftal, de Duivelspot en de competitie? Nee. Dat mocht Willie niet van hen vragen! Maar Willie smoorde hun protest in de kiem. Hij schoof de klep van zijn honkbalpet in zijn nek en krabde op zijn voorhoofd. Dat deed hij altijd als het ernst werd.

'Ahum,' kuchte hij. 'Ahum! Ik zou jullie graag helpen. Ik bedoel natuurlijk alleen als jullie dat willen. Maar ik ben jullie trainer en tenslotte heeft dit ook met voetbal te maken. Of willen jullie de wedstrijd van morgen echt laten uitvallen?'

Hij keek de jongens aan en wachtte tot hij iemand zag knikken, maar dat gebeurde niet.

'Oké,' zei hij. 'Daar hoopte ik op. Daarom heb ik iets voorbereid. Kom maar mee.'

Willie stond op en vroeg de Wilde Bende voor Camelot te wachten. Toen liep hij de tuin uit. Na twee minuten kwam hij terug op zijn brommer. Die pruttelde en kreunde en sleepte een aanhanger mee met een torenhoge lading spullen. Willie stopte voor het boomhuis en bekeek zijn elftal.

'Goed. Ik had het zo bedacht. Leon, Fabi, Vanessa en Marlon rijden naar het Donkere Woud. Ze zoeken de fiets van Joeri en dagen Dikke Michiel bij de graffiti-torens uit.

Maar doe het goed, jongens! Maak hem helemaal gek. Jut hem op. Maak hem zo woest als maar kan. En dan grijpen jullie Joeri en vluchten terug, hierheen. Dikke Michiel móét achter jullie aankomen. Hebben jullie dat begrepen?'

Leon, Fabi, Marlon en Vanessa deden alles om hun angst te verbergen. Ze knikten en zeiden tegelijk: 'Nee, wil je het nog een keer uitleggen?'

'Nee. Dat kan niet. We hebben niet veel tijd meer en we moeten Camelot nog omtoveren in een vesting. Rocco, Felix, Max, Josje, Raban, Marc en Jojo! Kom op, aanpakken!'

Hij trok het dekzeil van de aanhanger. Er zaten drie vuilnisbakken in, waterpistolen, netten en touwen, een elektrische balpomp, een zak veren, een pot groene zeep en een grote emmer vol honing.

De jongens en Vanessa keken er verbaasd naar.

Vooral Leon fronste zijn voorhoofd. 'Wat wordt dit dan voor een vesting?' vroeg hij aarzelend.

Maar Willie bleef bloedserieus. 'Dit wordt de beste vesting ter wereld. Of denken jullie dat Dikke Michiel hier ongewapend verschijnt?'

De Wilde Bende verstarde. Honing, groene zeep en veren tegen Onoverwinnelijke Winnaars die gewapend zijn en die daarbij ook nog opgejut moeten worden? Nee! Dan konden ze de Duivelspot beter meteen in een midgetgolfbaan ombouwen!

Maar Willie dacht daar anders over. Hij was al begonnen de aanhanger uit te laden.

'Wat is er? Waar wachten jullie nog op? Willen jullie dan dat Dikke Michiel jullie ook naar de Steppe sleept, net als Joeri?'

'Een ogenblik! Wat bedoelt u daarmee?' vroeg plotseling een stem die hier niet echt hoorde.

Willie draaide zich om en zag mijn moeder. Ze kwam uit de keukendeur.

'Waar is mijn zoon Joeri? En wat is hier eigenlijk aan de hand? Wie werd en wie wordt er naar de Steppe gesleept?'

Willie maakte een paar passen op de plaats, draaide drie keer zijn klep heen en terug en krabde toen pas op zijn voorhoofd.

'Eh... tja, ik weet niet of u zich hiermee moet bemoeien. Ik bedoel, dan wordt u alleen maar nog ongeruster. Of wilt u ons misschien helpen?'

Mijn moeder fronste haar wenkbrauwen en rimpelde haar neus. Vulkanen stonden op het punt uit te barsten. Dat wist Josje haarfijn. Maar hij wist ook dat je uitbarstende vulkanen niet kunt tegenhouden. Tenzij je Willie heette, de beste trainer van de wereld.

'Wat doet u?' vroeg hij. 'Gaat u door met roken en dampen, of helpt u ons? We kunnen alle hulp gebruiken. Het gaat er tenslotte om dat we uw zoon uit de handen van Dikke Michiel bevrijden.'

Hij haalde een doos schroeven uit de gereedschapskist en drukte die mijn moeder in handen, samen met een schroevendraaier.

'Ik weet het, het is laat. Maar we gaan nog slapen. Dat beloof ik u. Ik heb onze wedstrijd naar vanavond verplaatst.' Met die woorden draaide hij zich weer om naar de Wilde Bende. 'Waar hebben we anders schijnwerpers voor?' zei hij grijnzend.

De rit met de kabelbaan

De wind werd harder en blies de twaalf doffe slagen van de kerkklok naar de Steppe. Wolken joegen langs de hemel en overal rook het naar herfst. Maar de Onoverwinnelijke Winnaars schenen het niet te merken. Ze zwaaiden met hun zakken snoep uit het rovershol en brulden in koor. Daartussendoor giechelden de drie nichtjes van Dikke Michiel. Nee. Dat klopt niet. Er giechelden er steeds maar twee en ze leken zo veel op Dikke Michiel dat het z'n zusjes konden zijn.

Maar de derde was anders. Ja, ze móést anders zijn. Ze liep stil met ons mee en – ja hoor! – ze keek steeds naar me. Krabbendit en kippendat! Waarom keek ze en waarom kreeg ik het dan steeds zo warm?

Ik wilde doen of ik haar niet zag. Ik probeerde van alles. Maar zelfs toen ik wegkeek, zag ik haar ogen, haar lange bruine haar en haar gezicht. Toen liep ze plotseling dicht langs me heen. Ik kromp ineen toen ze me toevallig aanraakte.

Maar hoe meer ik schrok, des te beter ik me voelde. De rode ogen van de ratten die om ons heen wegschoten, leken plotseling op glimwormpjes. De gure herfstwind was opeens lekker fris. Ik was bijna blij dat ik hier op de Steppe was en niet meer in de Duivelspot of op Camelot.

Ja, precies zo, wist ik nu, hadden mijn vader en moeder

zich gevoeld voor ze gescheiden werden door het Donkere Woud.

Opeens voelde ik me heel licht. De graffiti-torens kwamen in zicht en ze zagen er opeens helemaal niet meer griezelig uit.

Op datzelfde moment stonden Fabi, Vanessa en Leon bij de ruïne in het Donkere Woud en bonden Marlon mijn fiets op zijn rug. Toen sprongen ze op hun mountain-bikes en reden door de brandnetelwal de Steppe in.

Wolken joegen boven hun hoofd langs de hemel en met doodernstige gezichten vochten de vier tegen de wind en zetten koers naar de graffiti-torens om mij te bevrijden.

Plotseling wees Vanessa naar de rechterflat.

'Daar! Zien jullie dat? Wat kan dat zijn?'

Het leek of naast die flat de een na de andere ster naar beneden suisde en op de Steppe terechtkwam.

'Hoeiii!' huilde Dikke Michiel en 'Hoe-hoe-hoeiiii!' kwam de echo terug van de Onoverwinnelijke Winnaars.

We stonden voor een oude elektriciteitsmast van staal die niet meer gebruikt werd. We keken omhoog naar de Inktvis, die tien meter boven ons schommelde. Hij trok nu een tweede, bomvolle plastic tas met snoep aan een touw naar boven, hing de tas vervolgens aan een haak en liet hem los waarop de tas langs een stalen kabel gleed. In een lange uitgestrekte boog suisde hij naar de volgende niet meer gebruikte elektriciteitsmast, die vijftig meter van de rechter graffiti-toren stond. De tas trok als een vallende ster een sliert vonken achter zich aan.

'Hoeiii!' huilde Dikke Michiel en 'Hoe-hoe-hoeiiii!' klonk de echo weer van de Onoverwinnelijke Winnaars terug.

Het meisje naast me lachte en ik lachte mee. Bij elke tas

knepen we onze ogen dicht en deden een wens. Maar ik wenste steeds hetzelfde: dat mijn vader naar de Duivelspot kwam om naar mij te kijken. Krabbenklauw en kippenkak! Was die wens wel reëel? Zelfs als ik mijn vader hier zou vinden, zou ik nooit meer terug kunnen naar de Wilde Bende.

Toen hoorde ik opeens de stem van Dikke Michiel. 'Hé, Huckleberry!' riep hij. 'Jouw beurt!'

Ik keek hem aan en dacht dat ik droomde. Dit meende hij toch niet? De mast was twee keer zo hoog als de oude houten brug waar we voor de wedstrijd tegen Ajax vanaf waren gesprongen. En onder de staaldraad was geen spoor van water. Shit! Dat was geen bewijs van moed meer. Dit was volslagen krankzinnig!

'Hé, wat is er met jou aan de hand?' riep Dikke Michiel. 'Ik dacht dat je nu bij ons hoorde. Dat wil je toch, of niet? Nou! Bewijs het maar! Dit is een proef voor opname in onze groep. Gesnapt?'

Ik slikte. Ik was doodsbang. Zo bang was ik nooit eerder geweest. Maar er was geen uitweg. Met een laatste blik op het meisje dat naast me stond, klom ik tegen de afgedankte elektriciteitsmast op.

Daar stond de Inktvis op me te wachten. Hij had een gemene grijns op zijn gezicht. Hij gaf me een stuk dik staaldraad met twee houten handgrepen eraan.

'Hier!' zei hij. 'Je doet hetzelfde als de tassen. Je glijdt langs de stalen kabel tot aan de garages. Zie je ze? Goed. Daar gaat de kabel weer omhoog. Wacht tot je minder snel gaat en de garages achter je liggen. Dan spring je op de grond. Maar wacht niet te lang.'

'Waarom niet?' vroeg ik. 'Als ik te ver doorgegleden ben, kom ik gewoon weer terug.'

'Nee, dat doe je niet,' zei de Inktvis met een grijns. 'Waar denk je eigenlijk dat de plastic tassen blijven?'

Ik snapte er niets van. Toen pakte de Inktvis de laatste zak met snoep, hing die aan de kabel en liet hem los. Als een vallende ster suisde de tas op de garages af en eroverheen.

'Let nu goed op,' zei de Inktvis.

Ik tuurde en toen zag ik het. Een metalen staaf van een meter lengte was aan het einde van de staaldraad vastgemaakt. Het werkte als een springschans. De tas wipte van de draad. Hij vloog met een boog door de lucht en sloeg toen hard tegen een muur.

'Zie je?' riep de Inktvis. Hij was nu heel ernstig. 'Voor de zakken maakt het niets uit als ze tegen de stenen muur slaan. Maar ik weet niet of dat met jou ook zo zal gaan. Ik zou er maar liever op tijd af springen.'

Ik slikte en keek nog eens naar Dikke Michiel die onder me stond. Hoorde ik echt hierbij? Ik wist het niet, maar kon ik daar nu nog iets aan veranderen? Daarom legde ik de staaldraad met de houten handgrepen over de kabel en sprong.

'Ik ben Joerie "Huckleberry" Fort Knox!' schreeuwde ik zo hard ik kon. Met een sliert vonken achter me aan suisde ik over de Steppe. De garages en de verschrikkelijke muur kwamen recht op me af.

'Lieve heer! Als ik dit overleef, weet ik waar ik thuishoor!'

De metalen staaf van een meter, die springschans voor de tassen, schoot naar me toe. Hij zou me zo tegen de muur schieten. Op het laatste moment liet ik de houten handgrepen los. Ja, op het laatste ogenblik overwon ik mezelf. In een flits zag ik de berg van kartonnen dozen achter de garages opdoemen en voor ik het goed en wel besefte stortte ik daar van vijf meter hoogte in.

Ik lag op mijn rug en even dacht ik dat ik dood was. Maar toen riep iemand me en die iemand was geen engel. Deze

iemand was heel zeker een lid van de Wilde Bende en niet alleen. Het waren de vier wildste leden van de hele Wilde Bende.

'Joeri! Waar zit je? Joeri? Shit, we moeten hier weg!' riepen ze en de dozen die me bedekten vlogen boven me door de lucht.

Ik was verlamd van schrik. Waar kwamen die vier nu vandaan? En wat wilden ze hier? Wilden ze hun geld terug hebben, of wilden ze mij? Tenslotte was ik in mijn eigen ogen een dief.

Daar verschenen alle vier de gezichten tegelijk boven me. Leon, Marlon, Fabi en Vanessa lachten tegen me.

'Joeri! Je leeft nog. Waarom zeg je niks? Kom op! We hebben je nodig. Zonder jou zullen we nooit meer in de Duivelspot spelen.'

'Krabbenklauw en kippenkak! Menen jullie dat echt?' vroeg ik verbijsterd.

Daar kwam de Zeis aangesuisd, sprong van de kabel en belandde naast me in de kartonnen dozen.

Hij sprong meteen weer op en sloeg met zijn vuisten naar me. 'Ik wist het toch! Je bent een gemene kleine verrader!'

Maar Leon, Fabi en Marlon stortten zich op hem en boeiden hem met zijn eigen fietsketting, die hij altijd bij zich draagt. Ook trokken ze een papieren zak over zijn hoofd.

Toen tilden ze mij op en renden met me naar de fietsen. Die waren intussen bepakt met de plastic tassen uit de voorraad van de rovers.

Een gesis vulde de lucht en Leon keek op naar de stalen kabel waaraan nu de volgende vonkensliert verscheen. Het silhouet was niet moeilijk te herkennen. Het was Dikke Michiel zelf.

'Kom op! We moeten weg hier!' zei Leon. Maar de miskleunen waren inmiddels achter ons opgedoken en stonden achter de fietsen. Op datzelfde ogenblik landde Dikke Michiel in de berg kartonnen dozen.

We waren verloren.

Toen vlamden de koplampen van een vrachtwagen op. Hij reed naar ons toe en vijf meter bij ons vandaan stopte hij. Ik herkende de chauffeur meteen en om de een of andere reden wist ik dat we in veiligheid waren.

'Kom,' zei ik tegen de anderen. 'Ze doen ons niets meer!' En alsof de vrachtwagenchauffeur mijn woorden wilde bevestigen, stapte hij uit.

Heel rustig stond hij daar en keek toe terwijl wij naar onze

fietsen liepen. De miskleunen verroerden zich niet. Ze keken zwijgend toe hoe wij over de Steppe verdwenen.

Pas toen ontplofte Dikke Michiel van woede. Hij had de Zeis ontdekt. Hij probeerde tevergeefs de papieren zak van zijn hoofd te schudden. Die zak was met een duidelijke boodschap beschilderd: 'Kom je spullen maar terughalen als je durft. We wachten op Camelot, dikzak!'

'Dat doe ik!' schreeuwde Dikke Michiel woedend. 'Reken maar, Joeri "Huckleberry" Fort Knox! Luister even heel goed. Vannacht nog kom ik en dan... Dan zal ik je eens laten zien wat er met een verrader gebeurt!'

De slag om Camelot

Met de dreiging van Dikke Michiel in onze oren joegen we over de Steppe en door het Donkere Woud tot in de tuin aan de Fazantenhof. Pas daar remden we af. Ademloos riep Leon naar het boomhuis: 'Willie! Het is gelukt. Ze komen!'

Het was meteen stil. Alle leden van de Bende lieten hun werk staan of liggen, maar de schroevendraaier in de hand van mijn moeder bleef tekeergaan. Geschrokken drukte ze op de knop op het handvat. De schroevendraaier zweeg. Mijn moeder wilde een verklaring. Nee, ze eiste er een. Maar ik ontweek haar blik. Ik kon en wilde nu nog niet praten. De stilte was griezelig.

Willie liep naar mijn moeder en nam de schroevendraaier van haar over. Hij zei heel vriendelijk: 'Het is beter dat we naar binnen gaan.'

Mijn moeder keek hem vlug aan. Ze wilde protesteren, maar Willie duldde geen tegenspraak.

'U hebt ons heel goed geholpen. Maar gelooft u mij! Dit lost de Wilde Bende zelf op. En daarna hebt u alle tijd om met uw zoon te praten.'

Mijn moeder aarzelde nog. Ze stond in tweestrijd, maar toen deed ze iets wat alleen de beste moeder van de wereld kan. Ze knikte, en zonder verder iets te zeggen liep ze samen met Willie langs mij heen het huis in.

We wachtten tot ze verdwenen waren. Toen betrok iedereen zijn post.

Na één uur 's nachts was het stil. Zelfs de herfstwind ging liggen. Opeens keek Vanessa me aan. We zaten samen op de tweede verdieping van Camelot. Ze keek me aan en beet op haar lip. 'Weet je, ik ben bang!' zei ze.

'Weet ik,' knikte ik. 'Iedereen is bang en ik het meest van allemaal.'

Ik probeerde een glimlach en zij ook. Toen grijnsde ze breed. 'Je hoeft niet bang te zijn. Ik zal het tegen niemand zeggen. En ik ben hartstikke blij dat je bij ons bent, Joeri "Huckleberry" Fort Knox.'

Plotseling schrokken we van een hartverscheurend gejank. 'Huuuh! Hoeoehoeoe,' klonk het overal om ons heen.

Toen knarste het tuinpoortje dat even later weer in het slot viel. Drie harde, eindeloze hartslagen later maakten de gestalten van de miskleunen zich los uit het donker. Ze waren tot de tanden gewapend. Koevoeten, fietskettingen en bijlen schitterden, toen de donderwolken voor de maan even wegschoven. Alleen Dikke Michiel was ongewapend.

'Hoeoehoeoe!' steeg het nog een keer op naar ons in het boomhuis. Toen stak Dikke Michiel zijn arm op en liet zijn aanvallers stilstaan.

Tien meter voor ons keek hij argwanend om zich heen. Tenslotte had hij al een paar keer aan het kortste eind getrokken. Maar deze keer zat hem alles mee. Dat geloofden wij zelfs.

'Hé, hallo! Is daar iemand?' riep hij geamuseerd en hij deed drie stappen naar voren.

'Ik zoek de wilde dwergen achter de wilde bergen. Zijn ze er nu? Of zijn ze al bij mammie weggekropen?' Hij lachte vals.

'Wacht maar, hufter! Die zal ik je betaald zetten!' mompelde Rocco. Hij richtte zijn waterpistool al op Dikke Michiel, maar Leon hield hem tegen.

‘Nee. Nee! Nog niet,’ fluisterde hij streng.

‘Maar wanneer dan?’ vroeg Rocco zachtjes, maar heel boos. ‘Als ze ervandoor gaan is het te laat.’

‘Dat is niet zo,’ protesteerde Leon. ‘Vertrouw ons plan. En ik beloof je dat niemand van die miskleunen bij het boomhuis komt.’

‘Je méént het!’ spotte Rocco, maar hij gehoorzaamde toen toch.

Dikke Michiel kwam nog een stap dichterbij.

‘Ik geef jullie nog een kans!’ zei hij, alsof hij Napoleon en Julius Caesar in één persoon was. ‘Geef mij wat van mij is, plus Joeri “Huckleberry” Fort Knox. Dan zijn we zo weer verdwenen.’

Dat was het wachtwoord. Josje bereidde zich al voor. Nu was het zijn beurt mij te beschermen en daar was hij apetrots op.

Maar stop! Een ogenblikje. Voor ik verder vertel, moet ik je nog één keer om een kleinigheid vragen. Ik weet dat ik je al twee keer teleurgesteld heb. Twee keer heb ik je gevraagd of je een eed wilde afleggen op iets dat ik niet kon nakomen. Maar nu gaat het niet meer om mij. Dus, alsjeblieft doe mij dat plezier. Klap het boek dicht, leg je hand op het logo van de Wilde Voetbalbende en wees even stil. Een ogenblikje maar. En in dat ogenblikje denk je erover na of we morgen nog moeten bestaan. Als dat zo is, wens de Wilde Bende dan veel geluk. Want ik geloof dat het elftal dat wel kan gebruiken. Ik ken in elk geval niemand anders die zich zo voor me ingezet heeft als mijn vrienden. Niemand die zo veel geriskeerd heeft en zo veel vergeven. Doe me alsjeblieft dat plezier. We kunnen nu alle hulp gebruiken! Ja, kippenkak en krabbenklauwen! Want Leon was er vannacht van overtuigd dat geen van de miskleunen ook maar één vinger zou uitsteken naar het boomhuis. Maar daarin stond hij helemaal alleen. Daarin, dat zeg ik je nu heel eerlijk, was Leon in deze nacht moederziel alleen.

'Hebben jullie het gehoord?' dreigde Dikke Michiel nog een keer. 'Dit is jullie allerlaatste kans! Geef mij wat van mij is, plus Joeri "Huckleberry" Fort Knox. Dan gaan we weg.'

Dit was Josjes wachtwoord. Hoog, op de derde verdieping van ons boomhuis, sprong hij op en schreeuwde: 'En wij, stomme Michiel, laten je alleen maar gaan als je ons ons geld teruggeeft! Duidelijk?'

Dikke Michiel keek verbaasd naar boven, naar Josje. Hij

grijnsde als een hongerige krokodil. Toen stak hij genietend zijn hand op, om het teken voor de aanval te geven. Op dat moment draaiden Jojo en Marc op de onderste verdieping in de 'hal' van Camelot twee schakelaars om. Overal sprongen flitslichten aan en verblindden de verbaasde aanvallers. Ze begonnen opgewonden door elkaar te schreeuwen.

'Ik zie niks meer!'

'Ik geloof dat ik blind ben geworden!'

'Help, wat is dit?'

En toen gaf Leon eindelijk het bevel: 'Vuur!'

Onmiddellijk doken Vanessa, Rocco, Felix en ik op achter de open ramen en luiken van Camelot. En we schoten onze superwaterpistolen leeg op de verdwaasde miskleunen.

Tweemaal werd Dikke Michiel met een volle lading getroffen.

'Stel je niet aan!' riep hij tegen zijn mannen. 'Een paar waterpistooltjes! Stelletje idioten! Snappen jullie het dan niet? We zijn hier op de kleuterschool. Kom, grijp ze. Méér dan dit hebben ze niet te bieden!'

Dat lieten de Maaimachine, de Stoomwals en Varkensoog zich geen tweemaal zeggen. Ze staken stokken en bijlen in de lucht en bestormden de deuren en muren van Camelot.

Maar boven hen, op het terras van de tweede verdieping, zaten Marlon en Max. Als twee marionettenspelers trokken ze aan touwtjes die ze voor zich hadden gespannen. De touwtjes leidden naar de grond onder het boomhuis en trokken waslijnen uit het gras tevoorschijn. Over die lijnen kon je gemakkelijk struikelen...

Dat gebeurde dan ook en de drie miskleunen klapten als neushoorns in volle vaart op hun neus. Hun woeste kreten verstomden en piepend als varkens in een te krap hok, gleden ze over een dekzeil dat met groene zeep was ingesmeerd

regelrecht op drie vuilnisbakken af. Die lagen op de grond met de opening naar voren. De drie hadden dat pas door toen ze er als grote kurken in vastzaten.

Marlon en Max grijnsden en Fabi lachte zich dood. Toen kwam een waarschuwing van Josje. 'De Zeis en de Inktvis komen van rechts! Shit! Fabi, waarom let je niet op!'

Josje was opgewonden en boos, maar Fabi bleef kalm. In alle rust wachtte hij op zijn post in de boom tot de miskleunen dichterbij kwamen. Ze hieven hun bijlen en stokken al. Pas toen begroette hij hen. 'Hallo, schatjes! Mag ik jullie feliciteren? Ik heb net een vliegreis verloot en jullie zijn de gelukkige winnaars!'

De Inktvis en de Zeis hielden hun stokken stil en staarden

naar boven, naar Fabi. Die haalde zijn zakmes uit zijn broek en sneed een touw door.

'Goede vlucht!' wenste hij de twee nog. Toen suisde een zandzak uit de kruin van de boom naar beneden. De zak zand trok een touw achter zich aan. Hij stortte neer op de grond, maar met dezelfde snelheid trok het touw een net omhoog van het grasveld. In dat net zaten de Inktvis en de Zeis nu als twee kippen gevangen.

'Wauw!' fluisterde Fabi enthousiast. 'Nu ontbreekt alleen Kong nog, de monumentale Chiiii...!'

Hij keek recht op Kongs achterwerk. De Onoverwinnelijke Winnaar was dichterbij geslopen en ongemerkt op het terras van de tweede verdieping beland. Maar daar zaten Marlon en Max en vermoedden niets van het grote gevaar. Wat moest Fabi nu doen? Als hij hen zou waarschuwen, zouden de twee misschien alleen maar schrikken. Dan was alles te laat. Hij moest iets anders verzinnen, en snel! Zo dadelijk zou de Chinees hen pakken. Toen sprong Fabi uit zijn post in de boom en belandde op de tweede verdieping van het boomhuis. Hij stak z'n tong uit naar Kong.

'Hé, King Kong!' riep hij. 'Je zou toch moeten weten dat je niet op andermans huizen mag klimmen. Dat mag toch niet. Weet je dat niet?'

Kong staarde hem aan en vergat Marlon en Max. Woedend vloog hij Fabi aan. Maar Fabi week uit en speelde perfect het stuk zeep in de badkuip. Hij lokte de Chinees naar de hal op de onderste verdieping. Daar bevond zich sinds vandaag een valdeur. Die was op maat gemaakt voor Kong. Hij viel er natuurlijk doorheen en gleed via Josjes oude glijbaantje regelrecht in het hondenhok. Vlug sprong Fabi achter hem aan en vergrendelde de ingang.

Nu moest alleen Dikke Michiel nog uitgeschakeld worden. Hij was de enige die nog vrij rondliep. En ongewapend!

'Hoi, Michiel!' riep Raban uit het boomhuis. 'Wat er is nou met jou aan de hand? Doe je het in je broek van angst?'

De laserogen van Dikke Michiel knipperden een paar keer, alsof het contactje van zijn energietoevoer los zat. Maar in werkelijkheid dacht hij alleen maar aan boosaardigheid en grof geweld, en die gedachten alleen al verbruikten zo veel energie dat hij moeite had met het beklimmen van Camelot.

Fabi die nog naast het hondenhok stond, sprong op en klom razendsnel terug in het boomhuis.

'Pas op!' riep hij. 'Ja, pas voor hem op!'

Daar wervelde Dikke Michiel ook al rond. Als een uit zichzelf exploderende draaitol draaide hij driemaal om zijn eigen as, hees daarbij iets zwaars van zijn rug naar voren op zijn borst en bleef staan.

Toen deed hij de koffer open die als de mars van een marskramer op zijn borst hing, pakte er een reusachtige boor met twee grepen uit en zette er een zaagblad op. Een seconde later slingerde hij de koffer weer op zijn rug en zette de boormachine aan. Het zaagblad begon vervaarlijk te gillen.

'Leon!' fluisterde Fabi. 'Leon!'

Maar het was stil. Doodstil. Op het loeien en gillen van de zaag na.

Geschrokken verscheen mijn moeder voor het raam van de keukendeur. Maar Willie trok haar zachtjes naar achteren.

'Hij heeft hier geen schijn van kans,' zei hij. 'Gelooft u dat alstublieft!' Hij nam haar bij haar arm.

Toen zette Dikke Michiel zich in beweging en stapte met de gillende zaag op de houten palen af waarop Camelot rustte. Het doorzagen van de palen zou binnen een paar minuten gebeurd zijn.

We schoten met onze waterpistolen! De waterfonteinen troffen Dikke Michiel voortdurend en overal. Maar hij scheen daar helemaal geen last van te hebben. Hij vond het zelfs wel leuk en hij lachte ons uit.

'O, ja! Ga rustig zo door. Heerlijk! Ik geloof dat ik al drie weken niet meer onder de douche ben geweest!'

Met deze woorden tilde hij de krijsende zaag in zijn handen omhoog en hij wilde hem tegen de eerste paal zetten. Als een mes door de boter, dacht ik, zal de zaag door de balken gaan.

Maar mijn moeder achter de keukendeur dacht nog ergere dingen. Ze was lijkwit, nog witter dan de gordijnen, en ze begroef haar gezicht in Willies schouder. Ja, gelukkig deed ze dat, want zelfs Willie wist niet zo goed meer of Dikke Michiel inderdaad geen schijn van kans had.

Toen wilde Raban het woord. Hij meldde zich net voordat de zaag de houten paal raakte.

'Hoi, Michiel!' riep hij vanaf zijn post op de tweede verdieping naar beneden. Hij hield de stoommachine in zijn hand. Naast hem knetterde de compressor al.

'Hoi Michiel!' riep Raban nog een keer. 'Wat vind je van dit kleuterspeelgoed?'

Dikke Michiel fronste zijn wenkbrauwen, zag het nieuwe gevaar. Hij wilde al beginnen met vloeken. Toen begon Raban. Lachend en brullend schoot hij de gebundelde, keiharde waterstraal een halve meter over het hoofd van Dikke Michiel heen.

'Man, Raban! Waar schiet jij heen?' riep Vanessa. Ze haalde een hand door haar haar.

'Precies! Wat doe jij daar?' lachte Dikke Michiel en hij zette de gillende cirkelzaag aan de eerste paal.

Maar Raban liet zich in zijn schietkunsten op geen enkele manier van de wijs brengen.

'Ik zal je honingen!' siste hij. 'Hé Michiel, drol uit het heelal met je drilbuik. Kijk eens naar boven. Je moet altijd weten wat je boven het hoofd hangt, vind je niet?'

Dikke Michiel begreep er niets van. Verbijsterd keek hij naar boven, zag de emmer honing hellen en schreeuwde toen. Maar het was te laat. Tien liter plakkerige honing stortte neer op Dikke Michiel. De honing verstikte de schreeuw in zijn mond en deed de monsterboor in zijn hand afslaan.

Dikke Michiel draaide, slikte, probeerde te hoesten, maar

kon geen geluid meer uitbrengen. Ten slotte wreef hij de honing uit zijn ogen en balde zijn vuist naar Raban, boven zich.

Maar daar stond nu Leon en die hield een grote plastic buis in zijn hand.

'Hé, Michiel, zal ik je eens wat zeggen?' Leons stem klonk heel zacht en lief. 'Ik weet het nu zeker. Je bent heel agressief. Wist je dat?'

Dikke Michiel kookte van woede. Hij gooide zijn zaag op de grond en stak beide vuisten naar Leon op. Maar die schudde alleen maar vol begrip zijn hoofd. 'Zie je nou wel? Ik geloof dat we daar eindelijk iets tegen moeten doen.'

Leon greep de plastic buis van onderen vast en trok een haak naar achteren. Op hetzelfde moment vloog een veer naar voren. De buis schoot een hele lading kippenveren af op Dikke Michiel. Die hoestte en proestte, maar de veren bleven in de honing plakken. En de honing bedekte Michiels hele, dikke lijf. Darth Vader, de schrik van de stad, was in een mum van tijd veranderd in een vrolijke sneeuwman. Hij sloeg wild om zich heen met zijn gevreesde vuisten. Maar die waren nu zo zacht als grote bollen watten.

'Zo zie je er al veel vriendelijker uit!' lachte Leon en dat werd Dikke Michiel te veel.

Hij wilde weglopen. Maar ver kwam hij niet. Al voor het tuinhek bleef hij staan. Daar wachtte Sokke op hem, de hond met de grote vleermuisoren.

Maar Sokke probeerde eerst helemaal niet zijn oren voor Dikke Michiel te verstoppen. Hij was heel aardig tegen hem, echt waar. Bijna geloofde ik dat hij wist hoe erg de arme jongen gepest en gesard was.

Daarom trok Sokke heel voorzichtig zijn neus op, maar hij dreef Dikke Michiel toch terug.

Voor het boomhuis wachtte de Wilde Bende op hem en daar nam ik nu het woord.

'Gek hè, hoe je verandert als je ergens staat zonder vrienden om je heen?' vroeg ik lachend.

Toen werd ik ernstig. 'Jij bent ons geld schuldig. 168 euro en geen cent minder. Krabbenklauwen en kippenkak! Die willen we terug, is dat duidelijk? Je gaat in je vermomming naar je neef en je zegt tegen hem dat het winter is geworden. Je hebt vandaag je geld nodig en wel onmiddellijk. In ruil daarvoor zullen wij bepaalde dingen aan niemand doorvertellen. Begrijp je me nu?'

Dikke Michiel probeerde het in elk geval. Steeds weer keek hij de kring rond die we om hem heen sloten en hem steeds dichter en dichter omringde. Toen gromde Sokke heel zachtjes, maar het kwam van heel diep uit zijn hondenlijf. En eindelijk was de beslissing genomen.

'Oké! Oké,' zei hij vlug. 'Ik ben binnen vier uur terug. Oké?'

Ik haalde mijn schouders op. 'Mij best. Maar wat denk je dat je vrienden daarvan zullen zeggen? Zou jij graag vier lange uren in een hondenhok of in een vuilnisbak zitten?'

Dikke Michiel rende weg. Maar voor het tuinpoortje riep ik hem nog eens terug.

'Hé. Wacht!' Hij kromp geschrokken ineen. 'Ik kan er toch op rekenen dat zoiets nooit meer gebeurt?'

Dikke Michiel knikte ijverig.

'Goed!' zei ik. 'Ik wil zoiets ook nóóit meer meemaken. Ik wil alleen nog maar voetballen. Begrepen?'

Hij knikte nog eens. Toen rende hij weg en ik draaide me om naar mijn vrienden.

'Dat meen ik echt,' zei ik en toen sloeg ik mijn armen om mijn vrienden heen om hen te bedanken.

'Alles is cool!' zei ik, en de anderen antwoordden vol overtuiging: 'Zolang je maar wild bent!'

We spraken af in de Duivelspot, om acht uur precies. En toen konden we eindelijk gaan slapen.

Nog een geheim

Eerst bracht mijn moeder Josje naar bed. Die had rode wangen van opwinding. Hij vertelde steeds maar weer het hele verhaal. De slag om Camelot moest mijn moeder minstens twintig keer horen. En zelfs bij de laatste keer presteerde ze het er nog om te lachen. Kippenkak en krabbenklauwen! Wat hield ik veel van haar. Of ken jij misschien een moeder die kan toekijken hoe een kwal van honderdvijftig kilo haar zoon met een krijsende elektrische cirkelzaag wil aanvallen? En die dan nog steeds kan lachen als een reusachtige Chinees over een kinderglijbaan in een hondenhok stort? Nou? Dat noem ik respect.

Maar toen kwam mijn moeder naar mij. Zachtjes trok ze de deur achter zich dicht en ging op mijn bed zitten. Daarbij keek ze me voortdurend aan.

Ik werd steeds zenuwachtiger. Vraag het toch eindelijk, dacht ik en speelde onder het dekbed mikado met mijn tenen.

Maar mijn moeder hoefde niets te vragen. Ze wist dat ik haar ook zonder vraag begreep en ten slotte hield ik het zwijgen niet langer vol.

'Ik ging papa zoeken in de graffiti-torens.'

Mijn moeder fronste haar wenkbrauwen.

'Ja, shit,' verdedigde ik me. 'Ik ken hem toch helemaal niet! En jij vertelt nooit iets. Ik weet alleen maar dat hij in een van die torenflats woont.'

Ze keek me zwijgend aan. Toen glimlachte ze. Haar glimlach werd een lach en ze stak mij aan. We vielen bijna van het bed van het lachen. We sloegen onze armen om elkaar heen en hielden elkaar ten slotte heel stevig vast... Maar in plaats van te lachen liepen nu tranen over onze wangen.

'Je vader woont daar inderdaad,' fluisterde mijn moeder. 'Je hebt gelijk.'

Ik hield mijn adem in. Opeens kreeg ik een idee.

'Heeft papa een fax?' vroeg ik.

Mijn moeder knikte, maar dat was nauwelijks te zien.

'Kun je dit dan aan hem sturen?' Ik smeekte het bijna, terwijl ik een briefje onder mijn kussen vandaan trok.

Mijn moeder las het briefje zeker zo vaak als Josje haar het verhaal van de honing en de veren verteld had.

Zeer geachte heer Marsman!
Kunt u alstublieft naar mijn voetbalwedstrijd komen?
Vandaag in de Duivelspot om acht uur precies.
Het is heel belangrijk voor me, want ik heb u nodig.
Je zoon Joeri,
Joeri 'Huckleberry' Fort Knox,
het eenmans-middenveld.

Ze knikte, gaf me een kus en liep de kamer uit. Maar precies kan ik me dat niet meer herinneren, want ik sliep al als een marmot.

En terwijl ik sliep kwam Dikke Michiel terug. Maar hij kwam niet alleen. Hij was bij de politie opgevallen als een sneeuwman in de zomer, en toen die de sporen van de slag om Camelot zagen, moesten hij en zijn vrienden voor straf het onkruid wieden in de grote bloembakken op de markt.

En dat moesten ze acht weken volhouden. Eerst waren het

Zeer geachte heer Marsman!
Kunt u alstublieft naar mijn
voetbalwedstrijd komen?
Vandaag in de Duivelspot om
acht uur precies.
Het is heel belangrijk voor
me, want ik heb u nodig.
Je zoon Joeri,
Joeri 'Huckleberry' Fort Knox,
het eenmans-middenveld.

er zelfs twaalf. Maar toen de politie zag dat hij het geld had teruggebracht, kregen ze medelijden met hem.

Met dat geld ging Willie naar de tweedehandswinkel om een pak te kopen. Zonder ons. Helemaal alleen zocht hij een pak uit dat naar zijn mening het beste was dat bij de beste trainer van de wereld paste. Bij de trainer van de Wilde Voetbalbende.

Sterrenregen

Laat in de middag werden we wakker. We konden nauwelijks tot de avond wachten. Zo gauw het donker werd, renden we naar de Duivelspot. Maar voor het stadion van de Wilde Voetbalbende bleven we eerbiedig staan.

Het bord boven de ingang lichtte op in de schemering. Eén fantastisch moment lang was de wereld alleen voor ons. Het moment waarin we in onze coole shirts door de poort ons stadion binnenliepen. De schijnwerpers waren aan. Ze zetten alles in een magisch licht. Dit moment waren wij en de hele wereld gevaarlijk en wild. Net zo wild als Willie, die ons in zijn nieuwe streepjespak ontving. Trots liep hij met zijn glanzende nieuwe leren laarzen naar ons toe en trok zijn rode stropdas met witte stippen recht.

Krabbenklauwen en kippenkak! Dit was koninklijk. Maar helaas komt er zelfs aan een koninklijk moment een einde. En dat einde heette in ons geval NAC-junioren.

Onze tegenstanders waren er al. En ze waren allemaal een jaar ouder en twee koppen groter dan wij.

'Ha, daar zijn jullie eindelijk,' begroette Willie ons. 'Hartelijk welkom in de achtste dimensie.' Wij hadden dat intussen allemaal van Josje overgenomen. Nu zeiden we altijd 'achtste dimensie', maar we bedoelden natuurlijk 'achtste divisie'.

Alsof onze tegenstanders dit welkom wilden bezegelen,

schoot hun linksbuiten de bal zo voor een van de bovenste hoeken van het doel, dat zelfs bij Max, de man met het hardste schot van de wereld, de nekharen overeind gingen staan.

Maar Willie gaf ons moed. ‘Hé, mannen, de anderen zijn dan misschien groter, maar jullie zijn sneller.’ Het was nauwelijks een troost. Sterker nog, het was een leugen.

Misschien waren de anderen inderdaad alleen maar groot. Maar wij waren in geen geval sneller dan zij. We kwamen nauwelijks uit het strafschopgebied. En hoewel Marc als een onbedwingbare de bal hield, lagen we bij rust met drie-nul achter. En dat viel nog mee.

Maar Willie was niet tevreden. 'Waar is jullie zelfvertrouwen gebleven?' riep hij boos. 'Waarom staan jullie anders achter? Normaal is één Joeri genoeg om de aanvallen van zo'n team op tijd tegen te houden. Wat is er met jullie aan de hand? Zijn jullie alleen maar moe? Of zijn jullie echt vergeten wat er afgelopen nacht gebeurd is? Gisteren hebben jullie tegenover elkaar je vertrouwen getoond. Als jullie elkaar vertrouwen, waarom vertrouwen jullie jezelf dan niet? Joeri! Deze vraag geldt speciaal voor jou. Twee van de drie doelpunten zijn gemaakt door jouw toedoen. Hoor je me?'

'RAAAAH,' bromde ik. Ik was zo kwaad. Maar niet op Willie. Nee. Op mezelf. Willie had het zelfs nog een beetje afgezwakt. Ook het derde doelpunt kwam door mij. Ik was geen eenmans-middenveld. Ik was alleen maar het zielige gat in een stinkende kaas.

Zo ging ik na de rust verder. Steeds weer keek ik naar mijn moeder. Maar ze was nog alleen. Mijn vader was niet gekomen, en ik zeg je dat ik alleen daarom zo slecht speelde. Zo zouden we de eerste wedstrijd in ons nieuwe stadion zeker verliezen. De tegenstander had het volgende doelpunt alweer gemaakt en ik had opnieuw de voorzet gegeven.

Met een chagrijnig gezicht haalde ik de bal uit het net en schoot hem naar het midden. Voor zo'n prestatie hadden mijn vrienden me niet hoeven bevrijden. En zo'n prestatie hoefde mijn vader ook niet te zien.

Daar klonk het fluitje. Leon speelde de bal en op hetzelfde ogenblik zag ik hem. Mijn vader stond echt langs de zijlijn bij mijn moeder. Ik herkende de vrachtwagenchauffeur en wist direct dat hij mijn vader moest zijn. Hij was de man die me bij de graffiti-torens drie keer tegen Dikke Michiel beschermd had.

Wat er daarna gebeurde, kan ik me niet meer zo goed her-

inneren. Ik was zo blij! Ik kan je niet zeggen hoe het ging. Of het alleen maar door mijn geluksgevoel kwam, of doordat ik iedereen aanstak. Ik weet het niet. In elk geval zei elke pass, elke beweging en elke blik van mij steeds maar één ding: mijn vader is er! We verliezen vandaag niet!

De schok ging door het hele team. Marlon was weer de nummer 10. Hij dreef de bal over het veld en speelde de onvoorstelbare pass in de ruimte. Daar stond Leon de slalomkampioen, topscorer en de jongen-met-de-flitsende-voorzetten. Hij maakte een onverwachte zijsprong en schoot. Het was vier-één.

De volgende aanval ging over rechts. Fabi rende alleen weg. Hij schoot vanaf de zijkant keihard naar Leon. Leon verlengde verder naar links. Jojo maakte een schaarbeweging en knalde de bal met links hard in het doel.

Het derde doelpunt maakte Marlon alleen. Van het eigen

strafschopgebied tot dat van de tegenstander rende hij door en lepelde de bal met de buitenkant van zijn schoen in de rechterbovenhoek van het doel.

Maar het leek bij vier-drie te blijven. Het doel van de tegenstander leek daarna dichtgetimmerd en Fabi schoot tweemaal tegen de lat. Toen maakte Felix zich vijf minuten voor het einde los. Hij stormde door het strafschopgebied en passte met de hak naar Leon terug. En Leon loodste de bal op de een of andere manier door een woud van benen het doel in.

De vuist die Leon na dit doelpunt balde was de vuist van ons allemaal. We gaan deze wedstrijd niet verliezen! zei de vuist tegen ons. Maar de NAC-junioren leefden op.

Als opgejaagde dieren renden ze op ons doel af. Het was een kwestie van eer. Alle spelers waren een jaar ouder dan wij en een gelijkspel betekende voor hen niets minder dan een nederlaag. Maar voor ons was dit gelijkspel een overwinning. Met dezelfde kracht zetten we ons schrap voor hun aanval.

Zelfs Leon verdedigde mee. Hij wierp zich in het doelschot van de rechtsbuiten, kopte naar mij en ik schoot de bal verder naar Marlon. Die schoot de bal voor de bevrijdingsslag gewoon naar voren. Maar dit was geen bevrijdingsslag. Dat was een eersteklas pass naar Fabi, de snelste rechtsbuiten ter wereld. Fabi rende weg en met hem kregen wij de kans om te counteren. De kans op de overwinning. Bliksemsnel trokken we op. Fabi verloor de bal en nu counterde NAC. En die spelers waren stuk voor stuk sneller dan wij.

Plotseling stond ik alleen tegenover twee van hun spitsen. Alleen Marc de onbedwingbare was nog achter me.

De ene dubbelpass volgde op de andere. Daar kon ik gewoon niets tegen doen. Ik moest alles riskeren, maakte een spreidsprong in de volgende pass en miste de bal op een haar na.

Nu was Marc alleen, maar hij was de onbedwingbare. Als een muur wierp hij zich in het schot en sloeg de bal met zijn vuisten uit het strafschopgebied.

Wauw! Wat een snelle actie!

Nu hadden we het gelijkspel echt verdiend. De scheidsrechter had het fluitje al in zijn mond. Dadelijk zou er afgefloten worden. Toen zag ik de middenvelder van NAC. De bal kwam recht op hem af en was als een voorzet bedoeld voor een volley. Ik keek naar Marc. Die lag nog op de grond! Hij zag de volgende aanval te laat. Ik sprong op en terwijl de nummer 10 van NAC plotseling hard richting doel schoot, sprintte ik naar de doellijn. Ik gooide mijn benen naar voren, schoot lijnrecht door de lucht en knalde de bal weer uit het doel.

Op dat moment floot de scheidsrechter af en de bal die ik uit het doel had geschoten vloog hoger en hoger en trof de schijnwerper. Die ontplofte en zond een sterrenregen naar beneden, naar mij. Krabbenklauw, jaaaah! We hadden de eerste wedstrijd in ons stadion toch niet verloren! En zo uitgeput en gelukkig als ik was, spreidde ik mijn armen zo ver ik kon. Ik rekte en strekte me, en terwijl de andere leden van de Wilde Bende zich op me stortten en me feliciteerden, wist ik precies waar ik was en waar ik thuishoorde.

Deniz de locomotief

FC Quick tegen de Wilde Voetbalbende V.W.

De wedstrijd was afgelopen. Ik voelde dat het tochtte. Toen sloeg de deur van ons kleedhok met een gigantische klap dicht en sneed ons van de buitenwereld af. Nog geen seconde later was het donker en stil.

Onze trainer was binnengekomen. Hij had zich in ons kleine kleedhok geperst en torende met zijn massieve twee meter lengte boven ons uit. Zijn stierennek vulde het ronde raam van het hok en doofde het licht van de oktoberzon, alsof dat een glimwormpje was op klaarlichte dag.

Ik, Deniz Sarzilmaz, was de enige Turk in het team. Ik staarde naar mijn voeten. Dat deed ik altijd op moeilijke of gevaarlijke momenten. Mijn voeten kon ik altijd vertrouwen. Ze waren voor mij wat de rails is voor een trein. Ze brachten me altijd bij het doel. Vandaag was dat doel het doel van de Wilde Voetbalbende geweest. We speelden in de D. Wij, FC Quick, hadden de eerste drie thuiswedstrijden door mijn doelpunten gewonnen. We waren op weg naar het herfstkampioenschap, en ik had deze keer ook goed gescoord. Vijf keer.

Vijf keer was ik doorgebroken tot het doel van de inktzwarte-shirts-met-de-knaloranje-kousen. Al bij de eerste poging stond ik daar, alleen. Eerlijk waar. Daarom gaf ik de bal ook niet meer af. Er was verder toch niemand. Ik zag niemand! Of toch? Bij alle helse orkanen! Plotseling was ik omsingeld. Aan vier kanten! En dat door één enkele speler... De nummer 8. Joeri 'Huckleberry' Fort Knox werd hij genoemd, het eenmans-middenveld. Ik probeerde van alles. Met een strakke blik op mijn voeten dribbelde ik om mezelf heen tot ik er duizelig van werd. Het gras onder me maakte een te gekke looping. Toen viel ik op mijn gat en de bal was weg.

Langs de zijlijn floot Frederik Bokma, onze trainer. Hij brieste als een paard.

'Ik snap het niet!' Hij haalde een hand door het kransje haar rond zijn vuurrode kale hoofd. 'Deniz! Turkse stijfkop! Waarom geef je de bal niet gewoon af?'

Ik staarde hem aan. Afgeven? Shit! Sinds wanneer had Bokma gevoel voor humor?

'Ik stond alléén voor het doel! Moet ik dan aan mezelf gaan passen?' mopperde ik. Ik stond op en botste tegen onze centrumspits aan.

'Hé, vette pa-patatvreter! Kij-hijk een beetje uit!' schold ik. Ik had geen flauw idee waar hij zo ineens vandaan was gekomen.

Mijn tweede aanval ging veel beter. Twintig meter vrijloop bracht me razendsnel bij nummer 16 van de tegenstander. Daar bleef ik niet lang. Van zes meter afstand schoot ik, zonder aanloop. De bal was onhoudbaar en vloog in de korte hoek. Maar de keeper van de Wilde Bende viste hem met zijn linkervoet van de lijn alsof ik de bal gewoon naar hem toe had gerold. Wauw! dacht ik. En ik hoorde hoe ze hun keeper feliciteerden. Marc de onbedwingbare noemden ze hem, en dat was echt niet overdreven. Maar onze trainer zag dat heel anders.

'DEEHNIZZZ!' krijste Bokma vanaf de zijlijn. 'DEEHNIZZZ! IK...!'

Verder kwam hij niet. Marcs bal kwam namelijk bij hun nummer 10 terecht. Marlon heette die. En Marlon plukte de bal met zijn wreef uit de lucht alsof er secondelijm op zat. Hij gaf een hakje. Daardoor miste de aanstormende tegenspeler de bal. Marlon passte – zonder ook maar één keer te kijken – hard naar rechtsvoor.

Daar schoot de bal over de lijn. Dat dachten wij tenminste. Onze trainer ook.

'Laat gaan! Die is uit!' brulde hij in zijn lila trainingspak.

Maar de nummer 4 schoot op de bal af. Het leek of de bal opeens achteruit rolde, zo snel was die jongen. Sidderende kikkerdril! Toen kwam hun rechtsbuiten in actie. Wij hadden amper de tijd om de rug van zijn shirt te lezen. Fabi, stond erop, de snelste rechtsbuiten ter wereld. Toen gaf hij een halfhoge voorzet vanaf de zijkant. En daar dook de centrumspits, de nummer 13, op.

Drie van onze verdedigers stormden op hem af. Leon, de slalomkampioen, zoals hij zich noemde, maakte geen schijn van kans. Maar hij nam de bal niet eens eerst aan. Hij schoof bliksemsnel zijn rechtervoet onder de bal en tilde hem omhoog.

Sprakeloos draaiden onze verdedigers zich om. Ze strekten hun nek en volgden de vliegbaan van de bal, net als onze trainer. Het leek of de bal in slow motion op de penaltystip zou vallen, precies op de jongen die daar al klaarstond. Hij had

een koperkleurige huid en pikzwarte krullen. Hij kwam los van het gras. Met een omhaal-salto schoot hij over de lat. Daarbij liet hij ons zijn rug zien. Hij was de nummer 19: Rocco de tovenaar, zoon van João Ribaldo, de Braziliaanse voetbalgod van Ajax.

De nummer 7, Felix de wervelwind, maakte er nul-twee van. Toen hij door zijn astma haast niet meer kon, kwam Jojo in zijn plaats. Jojo die met de zon danst. Hij droeg geen voetbalschoenen, maar sandalen die met pleisters en veters waren opgelapt. Hij danste over het veld en speelde een dubbelpass met Leon. Door hem leken onze verdedigers net zielige oude mannetjes. Toen hij nog maar één tegenspeler voor zich had, schoot hij de bal plotseling terug. Nummer 11 kreeg hem recht voor zijn voeten. Max 'Punter' stond op zijn shirt. Wat dat betekende, werd me al snel duidelijk.

Ik rende recht op hem af. Hij zou nooit aan de bal komen! Dat zwoer ik bij mezelf en ik probeerde hem de weg te versperren. De bal was bijna zeker uit. Maar Max draaide zich bliksemsnel en strak naar rechts. Ik zag nog net zijn geluidloze grijns, toen schoot hij.

KNAL!

Als een kogel vloog de bal naar ons doel. De keeper balde zijn vuisten en wierp zich tegen het schot in.

KNAL! donderde het voor de tweede keer over het veld. Onze keeper begon midden in zijn sprong te trillen en de kanonskogel duwde hem in het net.

Zelfs onze trainer had geen woorden meer voor deze nuldrie.

Bokma's kransje haar stond recht omhoog. Het leek wel elektrisch geladen. Zijn kale plek gloeide als lava in een vulkaan. Ik moest iets doen! En wel nu! Anders zouden we alle-

maal stikken onder die lava. Daarom rende ik naar het doel, haalde de bal eruit, sprintte ermee naar de middenstip en schreeuwde tegen de Wilde Voetbalbende: 'Ro-hot eindelijk eens op naar jullie eigen he-helft! Ik wil verder spelen! Begrepen?'

Maar alle Wilde Bende-leden hadden hun positie al ingenomen. Het was mijn eigen team dat treuzelde. Mijn vrienden sjokten over het veld. Hun voeten plakten aan het gras alsof er honing op zat. Sidderende kikkerdril! Dit was pijnlijk! Maar ik zei niets. Dat zou het alleen maar erger gemaakt hebben. Daarom wachtte ik.

Ik wachtte een eeuwigheid tot onze rechtsbuiten eindelijk naast me stond. Pas toen siste ik: 'Zo! En nu zijn wíj aan de beurt! Dui-hui-delijk?'

Hij keek me aan alsof ik Chinees sprak en toen de scheidsrechter floot, bewoog hij zich nog steeds niet.

'Speel die ba-hal door!' schold ik, en toen hij dat ten slotte deed, nam ik hem aan en rende ermee weg. Met mijn ogen op mijn voeten gericht schoot ik naar voren als een locomotief. Zonder omweg, recht op het doel van de inktzwarte Wilde Bende af. Uit mijn ooghoeken zag ik schaduwen langs schieten. Leon de slalomkampioen, Marlon de nummer 10 en Joeri 'Huckleberry' Fort Knox konden mij niet stoppen. Ze waren te laat, en ik schoot. Ik, en nu eens niet Max 'Punter'. Ik schoot met de buitenkant van mijn schoen, halfhoog. En hoe Marc de onbedwingbare zich ook rekte en strekte, de bal draaide steeds verder naar rechts. Hij schampte langs de binnenkant van de paal en zakte in het net.

'DONG-ZOEMF!' klonk het en niet 'KNAL!' zoals bij Max. Maar het resultaat was hetzelfde.

'Niet te geloven! Het is jullie inderdaad gelukt!' riep Bokma verbaasd. Hij draaide zich om naar de toeschouwers.

‘Hebben jullie dat gezien? Bij FC Quick is het kwartje gevallen!’

Onze trainer koelde minstens 140 graden af. Spotten deed hem blijkbaar goed. Mij schudde hij nu pas goed wakker! Nee hoor, grapje. Toch had ik twee minuten later weer de bal. Ik rende ermee langs de rechter zijlijn, liet Max, Jojo en Rocco links achter me en schatte snel de afstand. Twintig meter van het doel! Schieten? Dat was pure overmoed, zeker met iemand als Marc in het doel. Maar mijn woede en angst waren groter. Ik was bang voor de gloeiende lava van onze trainer. Ik raakte de bal heel simpel met de neus van mijn schoen, maar dat maakte niets uit. Als een bliksemflits schoot hij, vlak boven het gras, linksonder in het doel. Onhoudbaar voor de onbedwingbare.

‘Soempf!’ hoorde je alleen maar, en toen was het stil. De jongens van de Wilde Bende keken elkaar aan, alsof ze niet wisten wat hun overkwam. Twee-drie stond het nu. Alles was nog mogelijk en ik rende trots langs onze trainer.

‘Hé, menee-heer Bokma!’ riep ik en ik grijnsde naar hem. ‘Goed was ik, hè? Vond je het geen peilloos diep, vuil en gemeen schot?’

Maar mijn trainer antwoordde woedend: ‘Ik zal je zo dadelijk laten zien wat vuil en gemeen is! Terug naar je eigen helft, jij! Of moet ik je erheen slepen? Voor het geval je het nog niet doorhebt, Turkse stijfkop: we liggen achter.’

Natuurlijk wist ik dat en ik wist ook dat ik dat moest veranderen. Anders zouden we na het eindsignaal in een horrorfilm belanden. We hadden nog maar één minuut. Dan was de wedstrijd afgelopen, over en uit. En de Wilde Bende nam nu natuurlijk lekker de tijd.

Er was nog een wissel, en voor Leon in de plaats kwam een jongen met lang, roodbruin piekhaar. Hij ging voor me staan en grijnsde. Toen nam hij de bal van Marlon aan, schoot tussen mijn benen door en stormde ermee weg.

Ik keek hem na en kreeg het gevoel alsof ik knock-out was geslagen. Het rugnummer van de jongen was 5. Maar daarboven stond duidelijk: Vanessa, de onverschrokkene.

Sidderende kikkerdril! Alle dolle stieren en brakende beren! Ik had me door een méísje voor de gek laten houden. Wat een afgang! Dus vloog ik achter haar aan alsof het een zaak op leven en dood was.

Vlak voor het strafschopgebied bleef ik staan. Maar Vanessa wist allang dat ik eraan kwam. Ze heeft ogen in haar achterhoofd. Ze is net een spin, en daarom wachtte ze alleen maar tot ik op haar af sprong. Toen gaf ze de bal door. Een bliksemsnelle dubbelpass met Fabi. Daarna een hakje naar links, waar een ander lid van de Wilde Bende uit het niets opdook. Met reusachtige ogen achter een bril met jampotglazen schoot hij met links. Zijn vuurrode krullen wapperden rond zijn hoofd, en de 99 op zijn rug maakte hem cool. Supercool! En al even supercool ging Raban, de held, nog tijdens het schot onderuit. Hij schoot de bal veel te hoog over het doel heen.

'Dampende kippenkak!' schreeuwde hij woedend. 'Die was mis en niet zo'n kléín beetje ook! Maar ik móést hem wel met links nemen. Met links, mijn zwakkere voet!'

Maar de leden van de Wilde Bende draafden gewoon terug alsof er niets gebeurd was. Ook hun trainer, die in zijn streepjespak langs de zijlijn stond, zei geen woord. Alleen Vanessa liep naar hem toe en gaf hem vriendschappelijk een klap op zijn schouder.

'Geeft niks!' zei ze tegen Raban en toen liepen ze samen terug.

Maar ik bleef aan de rand van het strafschopgebied staan. De keeper speelde me de bal toe en wilde hem voor een verre uittrap weer terug. Jammer voor hem. Want ik stormde ervandoor. Vriend en vijand gleden als schimmen langs me heen. Toen verdween het veld in een melkachtige mist. Tenminste, zo leek het. Maar dat was ik gewend. Ik keek gewoon naar mijn voeten. Naar mijn voeten en naar de bal. Toen zag ik het doel van de Wilde Bende voor me. Langzaam kwam het tevoorschijn uit de mist. Net als Joeri 'Huckleberry' Fort Knox. Hij stond rechts op de loer. Hem kende ik al, en naar hem wilde ik in geen geval. Daarom maakte ik een hoek naar links. Daar was de weg weer vrij. Vrij tot aan het doel. Alleen de keeper moest ik overwinnen, en die kwam nu regelrecht op me af. Ik aarzelde even, overwoog of ik de bal moest spelen en hoorde toen de andere spitsen roepen.

'Verdedigers, pas op! Deniz, de nummer 8!' Dat was Joeri 'Huckleberry' Fort Knox!

En onze trainer brieste: 'Verrekte stijfkop! Geef eindelijk die bal af!'

Maar waar moest ik heen passen? Ik stond in een dikke mist en had nauwelijks een seconde meer de tijd. Achter me dreigde het eenmans-middenveld, en voor me een keeper die zich zonder angst op de bal zou storten. Maar het lukte me toch. Ik legde de bal met rechts op links voor en schoof hem onder Marc door.

Langzaam rolde de bal naar het doel, de lange hoek in. Joeri sprong over me heen. Hij maakte zich lang en stoof als een hazewindhond op de bal af, maar dat was niet genoeg. Hij raakte de bal maar licht. Die rolde verder, bereikte de lijn en hoefde nog maar een paar centimeter verder, dan lag hij in het doel!

Onze trainer maakte een luchtsprong: 'Ik hou van je, Deniz!'

Maar nog in de lucht veranderde hij van mening: 'Nee! Helemaal niet! Dit gaat mis!'

Want nu verscheen er een dwerg uit het niets. Hij was hooguit zes jaar, schoot de bal van de lijn terug in het speelveld en jubelde alsof hij een doelpunt had gemaakt.

'Ik heb hem, Joeri! Ik heb hem gestopt!' schreeuwde hij. Hij vloog zijn oudere broer om de hals en zoende hem. Zijn broer beloonde hem hiervoor met een harde klap met zijn vuist. De dwerg viel vlak voor me plat op zijn buik. Ongelovig staarde ik naar de X. Die stond op de rug van zijn shirt, in plaats van een nummer. Toen keek hij op.

'Hé, hoi Turkse stijfkop,' grijnsde hij met een brutaal gezicht. 'Ik ben Josje, het geheime wapen!'

En ter bevestiging van deze zin klonk het eindsignaal. Ik stond op en rende dwars door het strafschopgebied van de tegenstander van het veld af. Ik liep iedereen voorbij: onze centrumspits, die op de penaltystip stond, en onze linksbuiten aan de rand van het strafschopgebied. Naast hen had ook een middenvelder vrijgestaan. Ik had moeten passen. Dan hadden we het doelpunt wel gemaakt, en dan hadden we niet verloren.

Maar in plaats daarvan zat ik nu in een donker kleedhok en voelde de hete adem van onze trainer in mijn gezicht. Hij stond even na te denken over de gemene dingen die hij zo dadelijk tegen me zou schreeuwen.

'Twee-drie! Twee-drie! Ik snap het niet! Ze zijn een jaar jonger dan jullie! Ze zijn net uit de F'jes ontslagen! Maar jullie horen daar nog steeds thuis, bij de F'jes. Of nog beter: we maken een meisjesteam van jullie! We maken gewoon leuke rokjes van jullie voetbalbroeken!' voegde hij er spottend aan toe. 'Jullie zijn echt de grootste klojo's die ik ooit getraind heb.'

'Maar...' waagde ik te zeggen, 'de Wilde Bende heeft deze week drie wedstrijden gespeeld, twee gewonnen en één gelijkgespeeld. Die jongens zijn echt wild!'

'Wat zeg je?' riep onze trainer. 'Waarom kun jij nog praten? Alleen als je na de wedstrijd moet kotsen, heb je écht alles gegeven. Hoe vaak moet ik dat nog zeggen?'

Ik staarde naar mijn voeten. Maar onze trainer was nog niet klaar.

'Ja. En daarmee zijn we precies bij de reden voor deze ramp!' siste hij. Hij kwam op me af. 'Deniz! Verschrikkelijke stijfkop! Jij hebt alles verpest!'

Ik zei niets. Ik had twee doelpunten gemaakt.

'Dankzij Deniz zijn nu niet *wij*, maar de Wilde Voetbalbende op weg naar het herfstkampioenschap. Hé! Ik praat tegen je!' riep hij. 'Kijk me aan!'

Langzaam tilde ik mijn hoofd op, maar ik kon hem in het dampende kleedhok nauwelijks herkennen. Daarom knipperde ik met mijn ogen.

'Ja, goed zo,' spotte Bokma. 'Moeten jullie hem nou zien. Hij kijkt zo scheel als wat. Zo iemand kan helemaal niet scoren. Zo iemand geeft ook niet één bal af! Zo iemand is een verliezer! Een schande voor het elftal!'

'Maar, menee-heer!' fluisterde ik. 'De jongen met het rode haar en die bril met jampotglazen schoot ook naast!'

'E-he-hecht wa-haar, De-heniz?' deed Bokma me na. 'Je méént het! Ga dan lekker met hem spelen! Schiet op, naar huis jij! Uit mijn ogen! Ik wil je niet meer zien!'

Ik keek hem vragend aan. Ik begreep er niets van. Ik had twee doelpunten gescoord! En de laatste drie wedstrijden hadden we door mijn doelpunten gewonnen. Toen trok de trainer aan mijn arm.

'Ben je doof?' schreeuwde hij tegen me en zijn lavahoofd dreigde te ontploffen.

Ik stond op en pakte mijn spullen. Ik stopte ze in mijn sporttas, het waardevolste dat ik naast mijn oude, veel te grote motorjack bezat. Toen liep ik het kleedhok uit. Maandag trainden we weer en dan was Bokma vast wel weer gekalmeerd. Ja, dan kwam alles weer goed. Maar voor ik de deur achter me dicht kon doen, floot de trainer me nog een keer terug.

'Eh, ik ben nog iets vergeten,' zei hij met de valse grijns van een heks die in sprookjes kinderen opeet. 'Ik wil je hier nooit meer zien, eigenwijze stijfkop!'

Nu was het stil.

'Je hoort niet meer bij het elftal! Begrepen?'

Ik keek hem nog een keer aan. Toen keek ik de kring van de andere jongens van mijn elftal rond. Ik voelde dat niemand me zou tegenhouden. Ik draaide me om en vertrok.

Een gevaarlijk aanbod

Buiten stond de Wilde Voetbalbende met hun trainer en ik stond opeens midden in de groep.

'Hoi, stijfkop!' zei Josje, en Marc kwam naar me toe.

'Die twee doelpunten waren echt goed, man!' feliciteerde hij me. 'Onhoudbaar, allebei!'

Ik keek hem verbaasd aan. Hij wilde nog iets zeggen, maar Leon kwam bij ons staan.

'Hé! Joeri's moeder bakt vandaag pannenkoeken en wie vóór Willies brommer op Camelot is, hoeft niet af te wassen! Kom op, fietsen!' riep hij. Hij sloeg de trainer op zijn schouder en grijnsde. 'Of is dat niet eerlijk, Willie?'

De jongens van de Wilde Bende lachten en reden hard weg.

'Ja, dat is eerlijk, zeker weten. Willie wast af!'

'Ho-ho! Dat zullen we nog wel eens zien!' riep Willie. 'En als ík win, strijken jullie mijn pak. En jullie komen allemaal aan de beurt!' Toen hompelde hij achter de jongens aan.

Ik stond hen jaloers na te kijken. Zo ziet een echt elftal eruit, dacht ik. Een elftal dat altijd wint. Ik veegde het snot van mijn neus en begon te lopen. Maar ik had geen idee waarheen.

Thuis waren mijn ouders alleen maar geïnteresseerd in overwinningen. Ze droomden ervan dat ik profvoetballer zou worden. En ik wilde die wens maar al te graag in vervulling laten gaan. Maar wat moest ik nu thuis vertellen? FC Quick was nu al het derde elftal waar ik uit was gegooid. En altijd vanwege hetzelfde probleem.

Iemand riep mijn naam. 'Hé, Deniz!'

Ik draaide me om en zag Willie. Hij stond in zijn streepjespak naast zijn brommer.

'Zo heet je toch, Deniz?'

Ik knikte voorzichtig en wachtte op een rotopmerking. Maar Willie schoof alleen maar de klep van zijn rode honkbalpet in zijn nek en zei zachtjes: 'Je bent goed, Deniz! Ga zo door!'

Ik slikte en trok mijn neus op. Wat wil die rare vent van me? dacht ik. En Fabi dacht dat waarschijnlijk ook.

'Waar blijf je nou, Willie?' riep hij. 'De anderen liggen al vijfhonderd meter voor!' De snelste rechtsbuiten ter wereld keek mij wantrouwend aan. 'Hé, Willie! Als je ons zo veel voorsprong geeft, is er niks meer aan!'

Willie keek hem aan, zag zijn wantrouwen en knikte.

'Oké, je hebt gelijk!'

Hij startte zijn brommer en reed weg. Maar hij maakte een bocht en reed vlak langs mij. 'Deniz!' riep hij. 'We trainen elke dag om half vijf. In de Duivelspot. Weet je waar dat is?' Toen reed hij hard weg.

Maar Fabi bleef nog achter. Zijn wantrouwen werd nu een openlijke vijandigheid en het was mijn pech dat ik dat niet zag. Je weet wel, die mist. Daarom dacht ik dat hij me wel mocht en ik gaf hem zelfs een knipoog. Maar Fabi dacht er niet aan die te beantwoorden.

Hij draaide zijn fiets en reed zo snel weg dat hij zéker niet zou hoeven afwassen.

Pas goed op je sporttas!

‘En? Met hoeveel hebben jullie deze keer gewonnen?’ vroeg mijn vader toen ik ’s avonds de huiskamer binnenkwam. Hij zat op de bank en keek naar voetbal op tv. Mijn moeder kwam meteen uit de keuken toen ze de vraag hoorde. Mijn twee broers, Tolgar en Boran, lagen op de grond voor de tv en keken vol belangstelling op. De eredivisie was opeens bijzaak geworden. En het interesseerde niemand waar ik zo laat vandaan kwam.

‘Wij hebben Samen Sterk met elf-nul ingemaakt!’ grijnsde Tolgar. Hij was nog niet eens zeven, maar hij speelde al bij de F’jes.

‘En wij hebben Edam verslagen met negen-één,’ zei Boran. Hij was twaalf en speelde bij FC Vrijheid. ‘En drie van de negen goals kwamen van mij, terwijl ik verdediger ben.’

‘Ik heb er vijf gemaakt,’ schepte Tolgar op. ‘En twee daarvan heb ik gekopt.’

Mijn vader rekte zich trots uit en mijn moeder streek Tolgar over zijn haar.

‘En? Hoe ging het bij jou, Deniz?’ vroeg ze. ‘Hoe vaak heb jij gescoord?’

Ik slikte. Toen zei ik zachtjes: ‘Twee keer. Ik he-heb twee doelpunten gemaakt. Ma-haar de trainer van de tegenstander heeft me gevraagd of ik bij hen wil spelen.’

Mijn vader floot tussen zijn tanden door.

‘Wauw. Dat is cool. Boran, Tolgar! Horen jullie dat? Ze vechten om Deniz. Hij is populair. En ik durf te wedden dat het niet lang zal duren voordat hij wordt gevraagd door Ajax.’

‘Dat geloof ik niet!’ riep Tolgar boos. ‘Deniz heeft vandaag verloren. Twee-drie. En dat tegen een jonger team!’

‘Ik ben zelf ook een ja-haar te jong voor de E!’ protesteerde ik.

‘Precies! En daarom speel je ook alsof je nog in de F’jes zit,’ spotte Boran. ‘Je geeft nooit af. Je hebt het vast verpest en daarom heeft die kale Bokma je eruit gegooid.’

Mijn vaders gezicht betrok. ‘Wacht even,’ zei hij. ‘Zeg dat nog eens!’

‘Bokma heeft hem uit het elftal gegooid!’ hoonde Tolgar.

En Boran voegde eraan toe: ‘Deniz heeft het verpest. Eén enkele pass en ze zouden vandaag hebben gewonnen!’

Mijn vader stond nu heel langzaam op. 'Is dat waar?' vroeg hij zachtjes. 'Deniz, ik hoop dat dit niet klopt.'

Ik slikte, maar ik kon gewoon niet liegen. 'Ze hebben gelijk,' moest ik toegeven.

'Nee, dat kan niet,' zei mijn moeder hevig geschrokken. 'Deniz! Dit is al de derde keer dat je wordt weggestuurd.'

'Ja, ma-haar, de Wilde Voetbalbende... Ik bedoel, hun trainer, die-hie wil dat ik...!'

'Geen sprake van! Je blijft waar je bent!' bulderde mijn vader nu. 'En maandag ga je naar die meneer Bokma en je vraagt hem of je weer mee mag spelen. Duidelijk?'

'Ma-haar hij wil me niet meer zien!'

'Je zorgt maar dat hij je wel weer wil zien, want anders kun je voetballen vergeten!' riep mijn vader woedend. 'En nu naar boven! Naar je kamer! Uit mijn ogen!'

Het was stil.

Op tv maakte Ajax net een doelpunt, maar het gejuich van het publiek werd door deze stilte verstikt. Ze keken me allemaal aan en ik verdronk in de blik van mijn vader. Zijn ogen waren zo vaak de vrolijkste en meest trotse ogen van de wereld. Maar nu was zijn blik hard en meedogenloos. Ik zocht hulp bij mijn moeder. Maar die schudde haar hoofd. Dus ging ik maar naar m'n kamer. Of liever gezegd: onze kamer, want ik deelde hem met mijn broers. Ik smeet de sporttas en mijn stokoude en veel te grote motorjack tegen de muur. Ze vielen naar beneden en bleven liggen.

Tas en jack lagen er nog toen het donker werd. Je kon ze nauwelijks meer zien. In de huiskamer lachten mijn ouders en mijn broers. Zoals elke zaterdag deden ze 'De Kolonisten van Catan'. Ik was dol op dat spel.

Pas veel later kwamen mijn broers naar bed. Ik deed of ik sliep, maar in werkelijkheid gluurde ik vanonder mijn dekbed naar mijn sporttas. Ik had hem van mijn vader gekregen. Voor mijn vorige verjaardag.

'Pas goed op die tas!' had hij toen gezegd. 'Op een goede dag zul je hem als profvoetballer de Arena binnendragen.'

Ik lachte en schudde mijn hoofd. Maar mijn vader pakte me bij mijn schouders en keek me heel ernstig aan.

'Ja, dat gebeurt, hoor. Zeker weten. Je bent mijn zoon, Deniz. En als je dan de Arena binnengaat, met die sporttas in je hand, zul je beseffen hoezeer ik altijd in jou heb geloofd.'

Toen had hij zijn armen om me heen geslagen. Ik wilde niets liever dan dat hij dat nu weer zou doen. En ik wilde ook heel graag dat ik nooit meer naar Bokma terug hoefde. Daar was ik te trots voor en bovendien wilde ik altijd in het beste team spelen.

Ik wilde altijd winnen. En daarom vraag ik je: welk elftal is beter dan de Wilde Voetbalbende V.W.?

Ik zal het jullie allemaal bewijzen!

Die maandag ging ik eerder weg van school. Ik zou voor één keer spijbelen. Om twee uur 's middags schoof ik mijn sporttas door het wc-raam naar buiten en klom er zelf achteraan. Ik liet me op het gras zakken en tijgerde onder het raam van de conciërge door. Daarna liep ik over een zijpad door de struiken vlug naar de poort. Eenmaal op straat ging ik er zo snel mogelijk vandoor.

Aan mijn rechterhand stonden de hoge flats waar wij woonden. Op nummer 99, op de 9e verdieping. Mijn vader was ervan overtuigd dat ik ooit de grootste nummer 9 ter wereld zou worden. Daarom vond hij het geweldig dat wij op zo'n huisnummer woonden.

Maar onze wijk lag in Amsterdam-Noord, en de Duivelspot was precies aan de andere kant van de stad. De Wilde Voetbalbende was een wereldreis weg. En mijn doel om ooit weer als nummer 9 te spelen dus ook. Maar het moest en zou me lukken. Ik zou het iedereen bewijzen. Mij gooide niemand meer uit een elftal!

Met dat besluit liep ik naar de bushalte. Ik had alles uitgezocht en Mieke Hendriks, mijn oude, chagrijnige juf van groep 3, had me daarbij enthousiast geholpen. Ze zat in de lunchpauze bij ons in het overblijflokaal. En nu kun je echt lachen. Ze had bijna een luchtsprong gemaakt toen ik haar mijn plan vertelde. Ja, ik zei natuurlijk niet dat ik wilde spijbelen. En ook niet dat ik in mijn eentje helemaal naar de andere kant van de stad ging. Dat zou ze nooit goed hebben gevonden. Ik zei dat ik een opstel wou schrijven. Helemaal vrijwillig, omdat ik daar opeens zin in had. Een opstel over een jongen die net als ik in Amsterdam-Noord woonde. Die jongen wilde zijn arme, oude, zieke oma gaan opzoeken aan de andere kant van de grote stad. Oma kon niet meer zo goed lopen en ze zag haar kleinkind maar zo weinig...

De kin van juf Hendriks zakte op haar borst en heel even was ik bang dat mijn verhaal er te dik bovenop lag. Het was iets voor iemand uit groep 3, bijvoorbeeld van dat meisje van zeven dat ook overbleef. Ze was helemaal gek van cavia's, en dan vooral angoracavia's. Juf Hendriks hield net zoveel van dat meisje als ze aan ons jongens een hekel had. Wij maakten te veel lawaai en waren veel te wild, vond ze. We wilden altijd sterker en groter en beter zijn dan de anderen. Dat vond ze zo vreselijk dat ze het liefst op een meisjesschool les had gegeven. De mond van juf Hendriks zakte nog verder open. Ze kon het gewoon niet begrijpen. Deniz, de Turk, de ergste van alle jongens, was opeens veranderd in een lieve, gevoelige jongen. Nadat ze haar kin op de vloer had teruggevonden, sprong ze op van haar stoel.

'Loop maar even mee,' zei ze.

In haar lokaal trok ze een plattegrond uit de la. Steeds opnieuw legde ze me de weg uit. Eerst met de bus door de IJtunnel. Op het Centraal Station overstappen op tram 25 naar Amsterdam-Zuid en daar de bus richting Amstelveen.

'Waar woont je oma precies?' vroeg ze terwijl ze een andere kaart tevoorschijn trok.

'In de Duivelspot,' antwoordde ik en juf Hendriks begon meteen te zoeken.

'Duivelspot...? Duivelspot...?' mompelde ze. Tevergeefs doorzocht ze het stratenregister van Amsterdam. Toen draaide ze zich opeens argwanend naar me om.

'De Duivelspot,' siste ze zo snibbig als ze maar kon. 'Hou je me voor de gek, Deniz?'

'Nee, natuurlijk niet, juf,' zei ik en ik schudde verontwaardigd mijn hoofd.

'Weet je dat heel zeker?' vroeg ze.

'Duizend procent. Op mijn erewoord.'

'Mmm,' bromde ze. 'Ik weet het zo net nog niet.'

'Maar ik weet het wél. Echt waar. Maar nu moet ik even pissen.'

'Deniz!' riep ze verontwaardigd.

'Pardon, ik bedoe-hoel naar het toilet. Mag dat?'

Juf Hendriks snoof. Ze keek me aan, en even dacht ik dat ze me doorhad. Maar dat was een lerarentruc. Daar kon ze indruk mee maken op kinderen van groep 3, maar niet op mij. Ze had natuurlijk geen flauw idee wat ik van plan was. De juf gaf me toestemming om naar de wc te gaan en liep terug naar het overblijflokaal.

Ik pakte mijn sporttas uit de bezemkast. Ik had hem daar al neergezet voor ik naar het overblijflokaal ging. En de rest weet je.

Van school was het maar een klein stukje naar de bushalte. De buschauffeur keek me wantrouwend aan, maar zei niets toen ik vroeg of hij drie strippen wilde afstempelen. Binnen een half uur waren we er en moest ik overstappen op de tram. Daar voelde ik me voor het eerst een beetje onzeker. Zo veel mensen om me heen. Zo veel auto's, trams en taxi's. De mensen waren allemaal groter dan ik. Ik zocht de tram die ik moest hebben, maar die kon ik niet zo snel vinden. Ik werd zenuwachtig en botste tegen mensen op. Iedereen had haast en veel mensen keken boos. Er liep voortdurend een stroom mensen het station in en uit.

Stomtoevallig zag ik mijn tram opeens vlak voor me. Hij stond nog bij de halte. Gelukkig! Ik stapte in en zocht een plaats. De rit ging dwars door de stad. Ik keek mijn ogen uit. Ik was wel eens naar het centrum geweest, maar altijd met mijn ouders. Nu was ik alleen... Een stem in de tram riep de haltes om. Het werd steeds drukker.

Ik stapte uit bij de halte die juf Hendriks genoemd had en stond op een reusachtig plein. Waar moest ik nu heen? De juf had gezegd dat ik het hier nog maar een keer moest vragen. Koppig als ik ben, dacht ik het alleen wel te kunnen vinden. Dus liep ik een willekeurige straat in. De straat maakte een bocht. Ik liep een zijstraat in. Ik sloeg nog een keer af. Die straat splitste zich en toen wist ik helemaal niet meer waar ik heen moest. Ik was verdwaald...

Ik voelde een ijskoude rilling langs mijn rug en ik werd bang. Waarom was ik niet thuisgebleven? De school zou over een uurtje uitgaan en dan begon de training van Bokma. Ik kon met dat lavahoofd praten, en misschien vergaf hij me dan wel. Bokma scheen het leuk te vinden iemand op zijn lazer te geven. Bij elke training moest minstens één jongen voor hem door het stof kruipen en vaak was ik dat. Deniz, de Turkse stijfkop!

Maar dat wilde ik niet. Daar was ik te trots voor. Ik was een winnaar. De nummer 9. Daarom rechtte ik mijn rug en zette vastberaden mijn tanden op elkaar. Ik sloeg nog een keer af en zag in de verte een taxistandplaats.

Ik liep naar de chauffeur van de eerste taxi in de rij. De man zat in zijn auto de krant te lezen. Zijn raampje stond open.

'Pardon, meneer. Ik zoek de bus naar Amstelveen. Weet u waar de halte is?' vroeg ik en ik toverde mijn vriendelijkste glimlach op mijn gezicht.

De taxichauffeur keek langzaam op. Hij bekeek me van top tot teen en zag natuurlijk meteen dat ik geen klant was. Dus drukte die rotvent op een knop. Hij zei geen woord en het raampje ging dicht.

Daarna ging ik een sigarenwinkel binnen. De verkoper kwam meteen op me af.

'Nee. Wegwezen jij!' Hij greep me vast en trok me mee de straat op. 'Er wordt hier niet gejat!'

'Maar ik jat niks. Ik rook niet eens!' zei ik woedend. 'Ik wil alleen maar iets vragen.'

'Ja, dat zeggen ze allemaal!' De man lachte schel en gaf me een harde duw. 'Smeer 'm! En laat ik je hier niet meer zien!' dreigde hij en hij kwam weer op me af.

Ik wilde wegrennen, struikelde en viel languit op de stoep. Snel sprong ik op en rende ervandoor. Ik vervloekte de school. Welke idioot beweerde dat je daar iets over het leven leerde? Mooi niet! Het leven was anders, heel anders! Zeker voor een Turk in een veel te groot zwart motorjack. En met een hanenkam zo rood als de Turkse vlag. Frederik Bokma zei altijd dat ik verschrikkelijk scheel keek. Wat een bullshit. Voor mij was de mist om me heen heel normaal. En dat ik de vrijstaande medespelers niet zag als ik de bal had ook. Alleen daarom gaf ik de bal niet af. Snap je het nu?

Ik was kwaad en dat voelde goed. De woede verdreef de angst. Tot mijn verbazing stond ik opeens weer op het reusachtige plein waar ik uit de tram was gestapt. Ik vroeg iemand waar de bus naar Amstelveen was en ik had geluk: de bushalte was gauw gevonden en de bus kwam er net aan.

Na een rit van twintig minuten stapte ik uit op een pleintje in de buitenwijk waar de Duivelspot volgens de buschauffeur moest zijn.

Dikke Michiel

Bij alle brakende beren! Wat een welkom! De mensen op de markt leken te verstenen. En toen ik op een van de versteende mannen afliep, begon die te stotteren.

'Pardon. Kunt u me vertellen waar ik de Duivelspot kan vinden?' vroeg ik beleefd. Maar de man staarde naar mijn vuurrode hanenkam alsof ik zo uit de hel kwam. Ik vroeg het aan een paar andere mensen.

'De... de... wat?' stotterden ze allemaal en liepen door.

Een oudere vrouw hield zelfs haar kruk voor mijn neus. 'Ga terug! Terug naar het Donkere Woud! Ga maar terug naar je graffiti-torens!' bezwoer ze mij alsof ik Dracula en het monster van Frankenstein tegelijk was.

Ik begreep er helemaal niets van. Ik wilde niet naar het Donkere Woud, en ook niet naar de graffiti-torens. Ik wilde naar de Duivelspot, maar daarvoor leken ze nog banger. Toen ontdekte ik een paar jongens die er net zo uitzagen als ik. Ze stonden bij de grote bloembakken rond het plein en schoffelden het onkruid weg.

Ik liep naar de eerste de beste jongen toe. Hij was een reusachtige Chinees, die eruitzag als Godzilla of King Kong.

'Meneer, mag ik u iets vragen? Weet u waar de Duivelspot is?' De Chinees kromp ineen alsof hij een elektrische schok had gekregen. Als een luciferhoutje brak de steel van zijn schoffel in zijn handen doormidden. En hoewel hij oersterk was, leek hij doodsbang voor me.

'Michiel!' riep hij. 'Michiel! Kom hier en neem de anderen mee. Allemaal, hoor je?'

Hij bleef me aankijken en ik keek verbaasd terug. Voor en achter op zijn spijkerjack stonden drie woorden: 'De Onoverwinnelijke Winnaars!'

Toen trilde de grond. De adem van degene die er nu aankwam, reutelde als die van een potvis. Ik keek om en zag iemand opdagen uit de mist. Vergeleken met deze verschijning leek onze trainer een hertje – met een kaal kopje. Een Darth Vader T-shirt spande zich om zijn vetrollen. Zijn ogen gloeiden als laserstralen. Als hij of zijn vrienden in een film speelden, zou die pas 's avonds ná elf uur op tv mogen.

'Hoi!' Ik slikte. 'Weten jullie waar de Duivelspot is? Ik zoek de Wilde Voetbalbende V.W...'

Dat was het toverwoord. De potvis en zijn horde bleven staan alsof ik ze ter plekke had laten bevriezen. Ze durfden geen adem meer te halen. Hun ogen schoten heen en weer als motten rond een lamp.

'Hé, is er iets?' vroeg ik bezorgd.

'Natuurlijk niet!' zei Dikke Michiel terwijl hij achteruitdeinsde. 'Die straat in, daar naast de bloemenwinkel. En dan alsmaar rechtdoor. Dan kom je bij de Duivelspot. Dat is de kortste weg.'

Aan de angst in de ogen van deze jongens zag ik dat hij de waarheid sprak. Ze wilden duidelijk van me af. Dus deed ik wat me gezegd was.

De bloemenwinkel kwam na een paar meter uit de mist tevoorschijn en ik hoorde Dikke Michiel me nog naroepen: 'Maar pas op! Die jongens zijn verschrikkelijk. Ze plakken aan je als kauwgum en hondenstront aan je schoenen!'

'Ik zie wel!' riep ik over mijn schouder, en liep door.

Ik voelde me geweldig. De Wilde Voetbalbende moest hartstikke wild zijn. Want anders hadden die Onoverwinnelijke Winnaars niet al bij het noemen van hun naam zo angstig gekeken. Maar wat ik het geweldigste vond, was dat Dikke Michiel en zijn monsters mij nu al bij de Wilde Bende telden.

Ik was waanzinnig trots. Ik liep de straat uit, en over de veldweg naar de top van de heuvel. Toen ik bovenkwam, zag ik de Duivelspot als een schateiland uit de mist opdoemen. Dit was dus het domein van de Wilde Voetbalbende.

In de grootste heksenketel aller heksenketels

Vol eerbied stond ik even later voor de ruwhouten ingang en las het bord dat aan een dwarsbalk boven de poort hing. De poort van het stadion van de Wilde Voetbalbende V.W., de grootste heksenketel aller heksenketels: 'Duivelspot'.

'Sidderende kikkerdril!' zei ik bij mezelf. 'Ik ben er echt!'

Ik hing mijn tas over mijn schouder en liep langzaam de poort door. De waarschuwing van Dikke Michiel was ik allang vergeten. Ik was in de Duivelspot. Ik liep verder en zag links van me een stalletje. Onder een gammel zonnescherm stond een oude bank. Op het zonnescherm stond in feloranje letters: 'vip-lounge'. Rond het veld stonden hoge houten palen. Op de top van die palen zag ik bouwlampen. Ik klakte met mijn tong.

'Wauw,' mompelde ik. 'Ze hebben niet alleen een stadion. Ze hebben zelfs schijnwerpers.' Dit was duizend keer beter dan ons veldje bij FC Quick. Alleen het eerste elftal had een echte grasmat. Dat was bij elke club zo. Maar in de Duivelspot was dat anders. Hier was de Wilde Voetbalbende het eerste elftal. Hier was niemand belangrijker dan zij.

Ik keek mijn ogen uit. Er hing een diepe stilte. Dat viel me pas op toen de mist voor mijn ogen optrok en ik oog in oog stond met de leden van de Wilde Bende.

De jongens staarden me aan alsof ik als een pinguïn uit de ijskast was komen marcheren. En even stond ik er ook net zo roerloos bij. Maar toen zag ik Willie, de trainer, en die glimlachte naar me.

Alle brakende beren! Zo'n glimlach had ik nog nooit van mijn leven gezien. Zo zou mijn vader vast en zeker ook glimlachen als ik door de scouts van Ajax werd ontdekt. Dat gaf me moed. Te veel moed misschien. Maar ik wilde cool overkomen.

'Hi! Ik ben het, Deniz!' grijnsde ik, kauwend op mijn kauwgum. 'Waar moet ik me verkle-heden?'

De anderen zeiden geen woord. Vooral Leon en Fabi keken me erg vijandig aan. Maar ik was niet anders gewend. Op school was dat normaal. Daar was zo'n glimlach als die van Willie net zo zeldzaam als een tien voor een dictee.

Daarom keek ik zelf rond, op zoek naar een kleedhok. Toen ik er geen zag, liep ik naar de rand van het veld.

'Ik kan er niks aan doen,' grijnsde ik. 'Wi-hi-hillie vroeg of ik wou komen. En Wi-hi-hilli is jullie trainer, toch?'

Met deze woorden ging ik in het gras zitten en kleedde me op mijn gemak om. Leon en Fabi balden hun vuisten.

'Is dat zo? Heb je hem echt gevraagd?' riepen ze tegen Willie.

De trainer was in verlegenheid gebracht. Hij maakte een paar passen op de plaats en schoof de klep van zijn rode honkbalpet in zijn nek.

'Ja,' bekende hij. 'Hoezo? Hebben jullie daar iets op tegen?'

'Wát?' ging Leon tekeer. 'Is dit een grap of zo? Sinds wanneer bepaal jij wie er bij ons mag komen?'

'Dat bepaal ik helemaal niet,' zei Willie sussend. 'Deniz traint een keer mee. Daarna kunnen jullie zelf beslissen.'

'Man! We zijn toch al met zijn twaalven!' protesteerde Fabi. 'En dat zijn er al bijna te veel!'

'Ja, dit jaar en volgend jaar. Maar dan komen jullie in de D. Dan gaan jullie op het grote veld spelen. Met elf tegen elf en niet meer zoals nu, met zeven tegen zeven!'

'Nou en?' schold Leon. 'Wat heeft dat met Deniz te maken?'

Willie haalde zijn schouders op. 'Eigenlijk niets. Ik vind alleen dat je op tijd moet beginnen met zoeken. Weet je, niet elke jongen past in ons team.'

'Klopt!' riep Leon spottend. 'En deze past er zeker niet in.'

Nu werd ik toch een beetje zenuwachtig. En terwijl ik deed alsof ik nog steeds cool mijn veters strikte, kleefden mijn ogen en oren aan Willie. Die wendde zich nu tot het meisje in het team.

'Vanessa!' zei hij. 'Doet dit je niet ergens aan denken? En jij, Rocco? Felix, jij haatte Rocco! En jullie hadden Vanessa allemaal het liefst meteen naar de hel gestuurd.'

Nu was het stil. Leon schopte boos met zijn voeten tegen het gras, tot de aarde te zien was. Toen keek hij Willie woedend aan en riep: 'Goed. Dan geven we hem een kans. Maar denk eraan: voor elke nieuwe speler die erbij komt, zit er één van ons op de bank!'

Een dozijn rivalen

De dreigende opmerking van Leon miste zijn uitwerking niet. De lucht leek wel elektrisch geladen. Vonken sprongen tussen de Wilde Bende en mij heen en weer. En Willie deed er nog een schepje bovenop. Sidderende kikkerdril! Die man leek wel bezeten. Hij koos niet voor de zachte methode. We speelden geen dubbelpass of vijf tegen twee. Hij besloot voor de open strijd: het duel. Dat moest wel kwaad bloed zetten.

Zonder ook maar iets uit te leggen zette hij een veld uit van zeven bij twaalf meter. Toen haalde hij twee lege bierkratten uit zijn stalletje. Dat waren de doelen. Maar hij zette ze niet aan de uiteinden neer, maar rug aan rug in het midden van het veld.

'Jullie spelen een op een en wie het eerste doelpunt maakt, die wint. De winnaar hoeft niet op de bank! Duidelijk?'

'Nee, niet duidelijk,' zei ik. 'Wi-hi-hilli! Waarom staan die doelen verkeerd?'

Leon en Fabi draaiden met hun ogen, alsof ik net gevraagd had waarom de hemel blauw is.

'Zodat je moet dribbelen, De-he-ni-hiz,' pestte Leon. 'Zoals de kratjes zijn opgesteld, kun je niet van een afstand op het doel schieten. Tenzij jij even krom schiet als je kijkt!'

'He-he-heb je het a-ha-hallemaal begrepen?' riep Fabi met een grijns, alsof ik achterlijk was.

Maar daar was ik wel aan gewend. Dat heb ik al gezegd. Ik

knikte cool, maar mijn knieën werden slap toen Willie me op het veld riep.

'Deniz, wil je even komen, alsjeblieft!'

Ik moest naast hem gaan staan, recht voor de anderen. Toen wachtte Willie een eeuwigheid, leek het. Hij bekeek alle leden van de Wilde Bende van top tot teen, kuchte, schoof de klep van zijn honkbalpet heen en weer en veegde het zweet van zijn voorhoofd.

'Als jullie Deniz echt zo bedreigend vinden,' zei hij, 'moeten we ons ook zo tegen hem opstellen. Dus: Deniz daagt jullie vandaag allemaal uit. Hij begint en hij blijft net zo lang op het veld tot een van jullie van hem wint.'

'Oké, deal!' Leon nam de uitdaging aan. 'Maar ik beslis wie wanneer tegen hem speelt.'

'Mee eens?' vroeg Willie aan mij en ik had het liefst nee gezegd. Maar dat deed ik natuurlijk niet. Ik gaf mijn antwoord via Willie aan Leon.

'Wi-hi-hilli. Zeg maar tegen hem dat het mij niks uitmaakt. Je wint eerder in de lotto dan dat iemand mij verslaat!'

Willie keek eerst mij fronsend aan en toen Leon.

Leon knikte en beet zich van woede op zijn lip.

Toen begon het.

Als eerste stuurde Leon Rocco op me af. Rocco de tovenaar, zoon van een Braziliaanse profvoetballer. Hij was de man van de bliksemsnelle aanval, van het schot uit de heup. Hij moest het duel al in de eerste ronde voor de Wilde Bende winnen. Daar was hij precies de man voor.

Rocco had mega-veel talent. Hij was vast met voetbalschoenen aan geboren. De bal luisterde naar hem, las zijn gedachten en deed dingen die een voetbal anders nooit doet. Hij sprong van Rocco's voet recht in zijn nek. Hij sprong van-

daar op zijn hiel, glipte tussen zijn benen door, wipte op zijn knie en vandaar op zijn hoofd. En voor ik het wist stond Rocco drie meter bij me vandaan, alsof hij daarheen gebeamd was. Hij was klaar om de bal in mijn doel te schieten. Ik schreeuwde van schrik. Op het laatste moment sprong ik in de baan van het schot. Rocco had met effect en veel te speels geschoten. Met de armen langs mijn lijf duwde ik de tovenaar opzij. Met mijn kont naar achteren versperde ik hem de weg. En vechtend werkte ik me om het krat heen. Toen schoot ik de bal vlijmscherp in zijn doel.

Die zat. Rocco en de andere jongens trokken een lang gezicht. En ik juichte. Maar dat bleek een beetje te vroeg.

Leon was niet voor niets de aanvoerder van deze inktzwarte bende. Hij was sluw. Hij stuurde Josje het veld op

en nadat ik het geheime wapen bliksemsnel en moeiteloos versloeg, kwam Raban.

Raban de held maakte een hoop drukte, maar ook hij bleef nog geen dertig seconden op het veld. Daarna voelde ik me stukken zekerder. Mijn knieën knikten niet meer. Ik kon weer op mijn voeten vertrouwen. En dat was ook Leons bedoeling. Ik werd overmoedig. Toen Joeri tegen me moest, nam ik hem al helemaal niet serieus meer. Waarom zou ik ook? Ik had Rocco verslagen, en Raban en Josje. Joeri zou mijn volgende slachtoffer zijn.

Maar Joeri heette Joeri 'Huckleberry' Fort Knox, het eenmans-middenveld, en het lukte niemand om langs hem te komen. Hoe kon ik dat vergeten? Steeds weer rende ik tegen

hem op, werd door hem aan vier kanten omsingeld en ik verloor elke keer weer de bal. Toen stormde hij weg en – sissende kikkerdril! – had ik het geluk dat Joeri geen al te beste doelverdediger was. Twee keer verspeelde hij de bal voor het doel. En toen ik na tien eindeloze minuten toch scoorde, was ik helemaal kapot.

Ik zakte op mijn hurken en keek hijgend toe hoe Joeri naar Leon liep en zijn hand in de lucht stak.

'Alles is cool!' riep hij, alsof hij helemaal niet verloren had. En Leon gaf hem een high five: 'Zolang je maar wild bent!'

Toen stuurde hij Felix als volgende tegenstander op me af.

'Felix! Hou het gewoon zo lang vol als je maar kunt!' riep Leon hem na. Hij keek me daarbij recht in mijn ogen. 'Hij loopt op zijn tandvlees! En zelfs als het je niet lukt, dan maakt een van ons hem wel in. Dat beloof ik je.'

En deze belofte gold nu niet alleen voor Felix, maar ook voor mij. Sissende kikkerdril! Als je eerst vier leden van de Wilde Bende hebt gehad en er nog acht op je wachten, dan hangt elk greintje vermoeidheid als een blok beton aan je been. Je adem begint plotseling te fluiten. Je voeten zijn zwaar. En als dan iemand als Felix tegen je vecht... Felix de wervelwind, dan zit zelfs de wedstrijd van vorige zaterdag nog in je botten.

Maar wat moest ik doen? Wat zou jij hebben gedaan? Had je het opgegeven? Of had je misschien gejammerd dat het niet eerlijk was, onrechtvaardig en gemeen? Nee, dat zou je niet gedaan hebben! Ik weet het zeker. Zoiets doe je niet. Niet midden in een wedstrijd, als je de uitdaging hebt aangenomen. En niet als je denkt dat je op de een of andere manier bij de Wilde Bende hóórt.

Dus ging ik door. En na zeven keiharde minuten ging de nummer 7 astmatisch en verslagen, maar opgewekt van het veld.

Nu kwam Jojo die met de zon danst, en die hield me negen minuten lang druk bezig.

Marc de onbedwingbare deed zijn best als keeper.

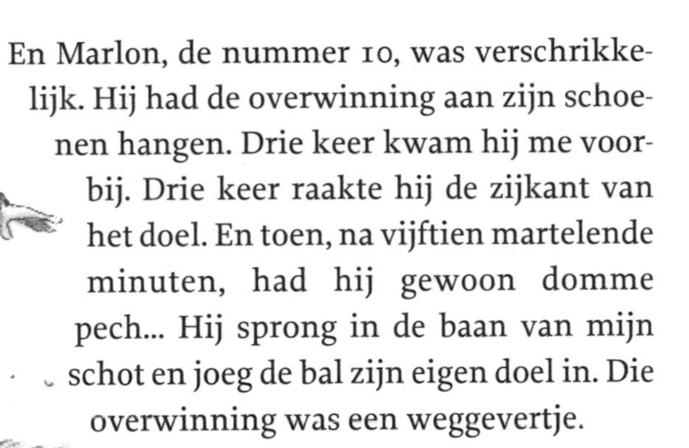

En Marlon, de nummer 10, was verschrikkelijk. Hij had de overwinning aan zijn schoenen hangen. Drie keer kwam hij me voorbij. Drie keer raakte hij de zijkant van het doel. En toen, na vijftien martelende minuten, had hij gewoon domme pech... Hij sprong in de baan van mijn schot en joeg de bal zijn eigen doel in. Die overwinning was een weggevertje.

Ik kon niet meer. Maar Max 'Punter' van Maurik, de man met het hardste schot ter wereld, kwam het veld al op. Met gespreide benen ging hij tegenover me staan en zijn beroemde geluidloze grijns liet me duidelijk zien wat hij van me dacht.

'Je bent heel wat van plan, hè, stijfkop!'

'Wees maar niet bang. Voor jou heb ik nog genoeg, Max Boemm-Boemm!' grijnsde ik. Ik beet mijn tanden op elkaar, sprong op en stuurde hem na een minuut van het veld.

'Yes!' Ik balde mijn vuist. 'Yes! Yes! En nog eens yes!'

Maar als ik daarmee al indruk maakte op Leon of Fabi, hielden ze dat goed voor me verborgen.

'En nu ben ik!' riep de snelste rechtsbuiten ter wereld en hij rende het veld op. Hij ging naast me staan en wachtte onverschillig tot Willie de bal ingooide.

'Ik hoop dat je goed warmgelopen bent,' grijnsde Fabi. 'Want nu gaat het vlug!'

Op dat moment gooide Willie de bal hoog de lucht in en voor ik zelfs maar kon reageren, had Fabi hem al te pakken.

'Dit is pas snel! Spetterende snotneuzen!' lachte hij. Hij nam de bal met zijn hoofd aan, tilde hem over het bierkrat naar zijn helft en zette het op een sprinten.

Ik had geen schijn van kans. Zelfs als ik niet zo moe was geweest had ik Fabian niet bij kunnen houden. Mijn benen waren lood- en loodzwaar. Als ik niet dom achter hem aan wilde lopen, moest ik iets anders verzinnen. En ik geef toe: wat ik toen deed, was niet netjes. Maar het was een noodgeval.

Ik sprong over het bierkrat en ging vlak voor mijn doel staan. Geen voetbal ter wereld zou tussen mijn benen door passen. Nu was Fabi aan zet, nu moest hij iets bedenken om me daar weg te lokken.

Als een dolgedraaide indiaan rende hij om de bierkratten heen.

'Hé, De-heniz!' schreeuwde hij. 'Turkse stijfkop! D-doe iets. Of durft de kleine De-heniz misschien niet?'

Ik balde mijn vuisten. Zoiets zei niemand tegen me zonder ervoor te boeten. Mijn voeten trilden. Ze wilden met Fabi afrekenen. Maar mijn hoofd hield ze nog even tegen. 'Nee! Pas op! Maak geen fouten. Als je niets doet, krijgt hij pas goed de zenuwen!' schoot het door mijn hoofd. En ik bleef staan.

Fabi rende als een gek heen en weer en zocht tevergeefs naar een opening. Toen probeerde hij het met geweld.

Twee, drie keer schoot hij van twee meter afstand de bal tegen mijn benen. Toen schatte hij de afstand voor de vierde keer. Het schot dat nu kwam, had zo van Max 'Punter' van Maurik geweest kunnen zijn.

De bal kwam precies in de opening tussen mijn benen terecht en daar bleef hij steken.

Een fractie van een seconde was ik perplex. Fabi hield zijn buik vast van het lachen, toen hij me voor de bierkratten zag staan met die bal tussen mijn knieën!

'Hé jongens, moet je zien! Deniz heeft een voetbal gelegd!' riep hij.

Maar het lachen verging de Wilde Bende algauw, want op dat moment sprong ik op. Met de bal tussen mijn knieën maakte ik een achterwaartse handstand-overslag over de bierkratten. En ik schoot de bal aan Fabians kant in het doel.

Sidderende kikkerdril! Gelukt!

Fabi's lachen verstomde en Leons gezicht versteende. Woedend deed hij een stap naar voren en keek me recht in mijn ogen.

'Waar wacht je nog op?' fluisterde ik. 'Kom eindelijk eens het veld op. Dan kun jij ook verliezen, net als je vriendje!'

Leon haalde zijn schouders op en balde zijn vuisten, maar hij kon zich net zo goed beheersen als ik. 'Zoveel talent heb jij niet,' zei hij droog. 'Vanessa! Jouw beurt! Of weiger je tegen een meisje te spelen, Deniz? Ik weet niet hoor, misschien is ze te goed voor je. Van mij heeft ze in elk geval al een keer gewonnen.'

Ik zei geen woord. Ik ging naast het meisje op het veld staan en toen haar schouder even de mijne raakte, schoot het bloed omhoog tot in mijn haarwortels. Sissende kikkerdril! Die Vanessa was niet alleen onverschrokken. Ze was ook nog eens een mooie meid!

Ze rende weg, en haar roodbruine haar wapperde achter haar aan. Stomverbaasd keek ik toe. Willie gooide de bal in. Ze plukte hem uit de lucht en schoot hem naar mijn doel.

Alle brakende beren! Ik leek wel gehypnotiseerd! Net op tijd werd ik wakker. Ik wierp me in de baan van haar schot en barricadeerde het doel. Precies zoals ik tegen Fabi gedaan had. Ik was weer klaarwakker! Nu moest ze komen. Maar Vanessa dácht er nog niet aan. Ze was uitgekookt. Twee meter voor me klom ze op de bal en bleef gewoon staan.

'Ik heb al een keer tussen je benen door geschoten!' grijnsde ze vrolijk. 'Wedden dat me dat nu weer lukt?'

'Wedden is voor gekken,' zei ik terwijl ik mijn spieren spande.

'Ben je soms bang?' riep ze spottend.

'Vergeet het maar!' antwoordde ik. 'Ik kom niet van mijn plek!'

Maar mijn benen protesteerden. Ze wilden haar een lesje leren. Vanessa wist precies wat ze deed. Ze sprong van de bal en gaf hem een stootje. Hij rolde naar voren en bleef precies tussen ons in liggen.

'Dan ben je dus bang!' zei Vanessa met een lief stemmetje. Ze klonk als een met honing overgoten schorpioen. 'Jammer. Ik dacht echt even dat je wel bij de Wilde Bende paste!' Ze keek me afwachtend aan. Twintig seconden lang hield ik haar blik vast.

'Oké! We wedden!' siste ik en ik stormde op hetzelfde moment richting bal.

Vanessa reageerde bliksemsnel. Ik kon haar beweging alleen maar raden. In elk geval sprong ze met haar rechterbeen voor, en met de neus van haar schoen loodste ze de bal op een of andere manier tussen mijn benen door het bierkrat in.

Ik kon het gewoon niet geloven. Ik, Deniz, de overwinnaar, de toekomstige beste nummer 9 ter wereld, was geklopt door een meisje. Totaal uitgeput en sprakeloos zakte ik op mijn knieën.

Leon en Fabi stappen eruit

Een half uur na mijn nederlaag tegen Vanessa had ik nog geen vin verroerd. Ik zat op mijn knieën op het gras en keek naar wat er ongeveer tien meter verderop voor het stalletje gebeurde. Daar had de Wilde Bende zich verzameld om over mij te vergaderen. Maar de discussie veranderde algauw in een heftige ruzie.

'Stemmen? Waarom?' riep Leon. 'Ik heb het toch al duizend keer uitgelegd! We zijn al met zijn twaalven en elke man die daar nog bij komt, is er een te veel.'

'Precies!' stemde Fabi in. 'Als jullie Deniz erbij nemen, zit een van jullie nog vaker op de bank.'

'Een van ons?' vroeg Marlon verbaasd. 'Laat me niet lachen. Deniz hoort in de voorhoede. Hij speelt voor Leon, of voor jou op rechtsbuiten, Fabi!'

'Ja, en volgens mij doet hij dat ook onwijs goed,' voegde Vanessa eraan toe.

Fabi werd vuurrood. 'Ja, hoor. Tegen jou heeft hij toch net verloren! Willen jullie een jongen in het team die van een meisje verliest? Het moet niet veel gekker worden!'

Vanessa's ogen werden spleetjes. 'O nee?'

'Zeker weten!' schoot Leon zijn beste vriend Fabi te hulp.

'Oké! Jullie hebben het allemaal gehoord!' zei Vanessa. 'En als dat zo is, moeten ook Fabi en Leon uit het team. Ik heb op mijn verjaardagstoernooi toch van allebei gewonnen?'

Nu werd het doodstil. Leon en Fabi keken naar Willie, maar die zei zoals altijd niets. Hij was heel anders dan de trainer van FC Quick. Voor Bokma waren we machientjes die hij van een afstand wilde besturen. Maar Willie luisterde alleen maar oplettend en hij nam iedereen serieus. Wat er ook werd gezegd. Iedereen had recht op een eigen mening. Daarom wachtte hij nu op de volgende die iets te zeggen had. En omdat niemand meer iets zei, stond hij op, liep naar zijn stalletje en haalde voor iedereen cola. Behalve natuurlijk voor mij.

'Ik denk dat Vanessa gelijk heeft,' zei Marlon na een poosje. 'Deniz is hartstikke goed en hij zou het team echt sterker maken.'

'Mee eens!' zei Felix vlug. 'Als we hem wegsturen, alleen maar omdat we bang zijn, is dat hartstikke stom!'

'Laat me niet lachen!' grinnikte Leon. 'Jullie denken toch niet echt dat ik bang ben voor die jongen?'

'Niet voor die jongen,' zei Rocco droog. 'Maar voor wat hij kan.'

'Oké! Ik snap het al!' Leon stond op. 'Jullie vinden dus allemaal dat hij beter is dan wij? Beter dan Fabi en ik?'

Hij kookte van woede en Fabi was al even razend toen hij naast hem kwam staan. 'Waarom spelen jullie dan niet met hem?' zei hij.

'Precies,' viel Leon hem bij. 'Maar als *hij* komt, zijn wij alle twee weg.'

KLABAMMM!

Als de klap van een gigantische bijl overstemde deze zin elk geluid. Het werd doodstil, zoals het alleen in het grootste gevaar stil kan zijn. En het bloed klopte in onze oren. Ja, in ónze oren. Ook bij mij. Dit had ik niet gewild. Dit had niemand gewild. Wat was de Wilde Bende zonder Fabi en Leon?

Zij waren de Gouden Tweeling, zij waren een counter-vloedgolf. Ze waren misschien wel de wildsten van de hele Wilde Bende. Zij hadden het team zo ver gebracht. Zonder Leon hadden ze nooit van Dikke Michiel gewonnen toen hij de Duivelspot wilde inpikken. En Fabi had zo veel goede ideeën gehad. Zonder hem zouden ze allang levend begraven zijn onder bergen huisarrest en voetbalverbod. Zonder Fabi hadden ze nooit het geld voor de shirts gekregen. En die shirts waren absoluut noodzakelijk geweest voor de wedstrijd tegen Ajax. En dus ook om Rocco bij de Wilde Bende te halen.

Dit hoorde ik allemaal pas later. Maar het hing op dit moment in de lucht. Dat voelde ik en ik hield het niet langer uit. Ik wilde niet dat de Wilde Bende ruzie had door mijn schuld. Daarom stond ik op en liep naar mijn tas. Ik trok mijn gewone schoenen aan, begroef me in het veel te zware motorjack van mijn opa en rende weg. Met mijn ogen strak op mijn voeten gericht draafde ik langs Willies stalletje. Ik wilde weg uit de Duivelspot.

Maar Raban versperde me de weg. Hij keek me door zijn bril met de jampotglazen recht aan. Zijn ogen waren zo groot als die van Donald Duck! Hij zag eruit als een clown. Maar wel een trotse, dappere clown.

'We laten ons niet chanteren!' zei hij en hij wierp een vastberaden blik op Leon en Fabi.

Toen trok hij twee flesjes cola van achter zijn rug tevoorschijn. Hij gaf er eentje aan mij, klonk met zijn flesje tegen het mijne en we dronken.

'Alles is cool!' glimlachte Raban en hij voegde er met een ernstig gezicht aan toe: 'Zolang je maar wild bent!'

'Zo-la-hang je maar wild bent!' herhaalde ik lachend en ik goot een scheut cola over mijn hoofd.

Sissende kikkerdril! Het was me toch nog gelukt. Ik mocht bij de Wilde Bende!

Langzaam kwamen ze nu op me af. Langzaam, maar niet aarzelend, nee, vol overtuiging klonken ze met hun flesjes tegen het mijne. Ook Willie.

'Alles is cool zolang je maar wild bent!' De flessen rinkelden tegen elkaar en niemand lette op Leon en Fabi. Die wachtten nog een paar seconden. Toen pakten ze hun spullen, slingerden ze op hun fiets en reden voor altijd en eeuwig weg uit de Duivelspot.

De laatste kans

Op de terugweg in de tram hield ik de eerste Wilde Bendecola van mijn leven stevig in mijn hand. Ik was zó blij.

Om duidelijk te maken hoeveel deze cola voor me betekende, maakte ik het etiket met een viltstift zwart. Diepzwart! En alsof het de wereldcup was, wikkelde ik het flesje voorzichtig in mijn voetbalspullen en stopte het in mijn tas. Het ging fantastisch met me. Ik was vergeten dat ik gespijbeld had. Ik was vergeten dat ik juf Hendriks voorgelogen had. En ook dat ik tegen de wil van mijn vader bij de Wilde Bende was geweest.

Bij de goede halte stapte ik uit.

Buiten was het donker geworden, en ik herkende de straten niet meer. De opritten naar de huizen kwamen als zwarte gaten uit de mist tevoorschijn en bij elk geluid keek ik geschrokken om. De stappen die me volgden waren de stappen van boeven en schurken.

Ze zaten allemaal achter me aan. Achter Deniz de Turk, de locomotief op het voetbalveld, die vanmiddag gespijbeld had.

Ik hoorde haar achter me lopen, die gemene juf Hendriks op haar hoge hakken. Zeker van haar overwinning stapte ze achter me aan. Ik keek nog even om. Was het juf Hendriks of...? Wegwezen en zo snel mogelijk!

Zo hard ik kon ging ik ervandoor. Maar na tien stappen

botste ik ergens tegenaan. Het bleek de borst te zijn van iemand die sprekend op Bokma leek, de machtige trainer van FC Quick. Hij pakte me bij mijn ellebogen en tilde me op tot aan zijn kale hoofd dat op een vulkaan leek. Hij deed zijn mond open. Wat wilde hij van me? Gelukkig kwam er iemand van links, als een grote zwarte schaduw.

De zwarte Sarzilmaz, de grote heerser. Hij floot Frederik Bokma terug. 'Laat hem los! Die is van mij!' zei Sarzilmaz koud en opeens was hij mijn vader. Daar stonden ze met zijn drieën: mijn vader, juf Hendriks van school en Frederik Bokma van FC Quick. Mijn vader bedankte ze hartelijk voor hun hulp.

Ze hadden meer dan twee uur naar me gezocht. Ze waren erg ongerust geweest, nadat ik door het wc-raam op school was verdwenen. Maar nu was alle angst voorbij. Hun angst, bedoel ik natuurlijk. Mijn angst bekroop me nu pas. En mijn vader gaf die angst alle tijd van de wereld, zodat hij goed op me in kon werken.

Zonder een woord te zeggen liepen we naar huis. Daar zette hij me als een ter dood veroordeelde voor de tafel in de huiskamer.

Mijn ouders zaten voor me en keken me aan. Steeds weer streken ze met hun hand door hun haar.

'Waarom, Deniz? Waarom?' vroeg mijn vader. En mijn moeder voegde eraan toe: 'Het mocht niet, dat weet je toch.'

'Ja, ja, dat weet ik,' antwoordde ik aarzelend. 'Maar ze hehebben me vandaag aa-haangenomen. Het was keihard werken. Ik moest van iedereen winnen.'

'Dat is geen antwoord op mijn vraag!' zei mijn vader en hij keek me nog strenger aan.

'Jawel. Da-hat is wel het antwooord,' protesteerde ik en ik doorstond zijn boze blik. 'Bokman was altijd gemeen. Daar voelde ik me rot. Maar vandaag... Het is m-m-me gelukt. Ik ben helemaal al-ha-leen naar hun training gegaan. Ik heb van bijna alle jongens van de Wilde Bende gewonnen en ik mag in het team. Ook al wilden ze dat eerst niet allemaal. Ik ben echt lid geworden van de Wilde Voetbalbende.'

Mijn ouders keken elkaar aan, en hun ogen lichtten op in hun strenge gezichten. Ik denk dat ze ondanks alle zorgen en woede ook wel een heel klein beetje trots waren.

'Ma-ham! Papa! Alsjeblieft. De Wilde Bende is het beste voetba-halteam van de wereld.'

Een glimlach speelde om mijn vaders mond. Heel kort maar, toen verdween hij weer.

'Ondanks dat,' zei hij, 'moet ik je straffen. Je hebt gespijbeld. Je hebt gelogen tegen mevrouw Hendriks en je hebt je absoluut niet gestoord aan mijn verbod.'

'Nee. Maar dat met juf Hendriks was maar een truc. Dat zeg jij toch altijd. Als je klein bent, mag je de groten met een truc te slim af zijn. En ik heb niet echt gelogen! Het was een truc.'

Mijn vader schudde zijn hoofd. Hij haalde een hand door zijn haar en trok er zo hard aan dat het pijn deed. Dat deed hij omdat hij anders was gaan lachen, dat zag ik!

'En met jou kon ik helemaal niet praten. Je luistert toch niet,' voegde ik er nog snel aan toe.

'Toch,' zei mijn vader, 'moet je straf krijgen. De volgende drie weken poets jij alle voetbalschoenen, oké? Niet alleen de jouwe, maar ook die van Boran en Tolgar.'

Ik slikte. Dit was echt hard.

Niet dat schoenen poetsen, dat bedoel ik niet. Ik heb het over mijn broers. Die zouden er echt van genieten. Ze zouden me hun schoenenpoetser noemen, hun knecht, hun slaaf. En ze zouden het aan iedereen vertellen. Aan de andere kant kwam ik er eigenlijk heel goed van af. Ik mocht blij zijn.

Mijn vader plukte nog steeds aan zijn haar en toen schetste hij wat er zou gebeuren als ik hem nog een keer teleurstelde. 'Laat het duidelijk zijn,' besloot hij. 'Als je ook uit dit elftal wordt gegooid is het afgelopen. Dan is voetbal voor jou over en uit.'

Ik hield mijn adem in. Dat moest ik even verwerken. Dat was schrikken! Voor mijn ouders was voetbal alles. Ik heb je toch over mijn tas verteld en over wat mijn vader van me verwachtte? Hij was er zo van overtuigd dat ik het wel zou redden. Zoals mijn opa het ook gered had. Die had het tot de Turkse voetbaltop geschopt. Trouwens, zijn motorjack was echt veel te groot en zwaar voor mij.

Nee! Als ik met voetbal moest stoppen, hoorde ik niet meer bij mijn familie. Dan lag ik eruit. Ik slikte. Maar ik accepteerde de voorwaarde van mijn vader wel.

'Maar dan heb ik nog een vraag,' waagde ik te zeggen. 'Wil jij alsjeblieft naar Bokma gaan, papa? Ik heb mijn spelerspas nodig. Misschien heeft ma-hama tijd om naar de bond te gaan, dan zetten ze die pas om? Het is denk ik meteen klaar. Dan mag ik al bij de volgende wedstrijd van de Wilde Bende meedoen.'

Mijn ouders hielden zich aan de rand van de tafel vast, alsof ze zich anders op me zouden storten.

'Alsjeblie-hieft... Ze he-hebben me toch nodig,' zei ik zachtjes. En toen voegde ik er met een grijns aan toe: 'Vanwege mij hebben ze Leon en Fabi uit het team gezet. Zo belangrijk ben ik!'

'En nu naar bed, jij!' riep mijn vader. Maar hoe streng het ook klonk, hij was verschrikkelijk trots op me.

De Wilde Voetbalbende V.W. tegen de Amstelleeuwen

Mijn vader en moeder stelden me niet teleur. Ze deden alles wat ik vroeg. Ik kreeg mijn spelerspas en ook op de training ging alles goed. In het begin was de stemming in de Duivelspot wat minder, omdat Leon en Fabi niet kwamen. Maar de jongens van de Wilde Bende bleven bij hun besluit. Zelfs de aanvoerder mocht het team nooit chanteren, hoe goed of belangrijk hij ook was.

Maar op zaterdag was dit allemaal vergeten. Toen speelden we tegen de Amstelleeuwen. En dat – sissende kikkerdril! – moest een doelpuntenkermis worden. De Amstelleeuwen stonden onderaan in de E. Ze hadden nog geen enkel doelpunt gescoord en als wij ze vandaag met twaalf-nul inmaakten, stonden we op de tweede plaats. Dan maakten we nog kans op het herfstkampioenschap. Dat legde mijn vader me steeds opnieuw uit, toen hij met mijn moeder en mij naar de Duivelspot reed.

Het was een warme dag in oktober en het grote motorjack van mijn opa was veel te warm. Ik was blij toen ik het in de Duivelspot eindelijk kon uittrekken. Voor het eerst liep ik in het inktzwarte shirt het veld op. Met het logo van de Wilde Voetbalbende op mijn borst. Alleen was de rug van mijn shirt nog leeg. Er stond geen nummer en ook geen naam op, maar dat zou vast snel veranderen. Daar was ik van overtuigd. Mijn proeftijd was al voorbij. Daarvoor durfde ik mijn voeten in het vuur te steken. En je weet hoe belangrijk die voor me zijn.

Willie riep ons bij elkaar en vertelde ons de opstelling. Marc de onbedwingbare stond natuurlijk in het doel. Joeri 'Huckleberry' Fort Knox, Max 'Punter' van Maurik, de man met het hardste schot ter wereld, en Marlon de nummer 10 regeerden het middenveld. Als spitsen stonden opgesteld: Felix de wervelwind, Rocco de tovenaar, en ik.

Ik keek naar Willie en glimlachte trots. Willie had zijn streepjespak aan en dat was nogal gekreukt. Niemand had het voor hem gestreken omdat hij vorige week het laatst bij de boomhut Camelot was aangekomen. En dus had Willie ook nog moeten afwassen. Maar Willie dacht niet aan zijn gekreukte pak. Hij had andere zorgen.

'Deniz!' riep hij, terwijl hij de klep van zijn honkbalpet naar achteren schoof. Hij fronste zijn wenkbrauwen. 'Deniz, je moet vandaag héél erg je best doen. Je speelt voor twee man: voor Fabi en Leon. Die twee konden met elkaar lezen en schrijven. Ze wisten altijd van elkaar wat ze deden. Dat moet jij vandaag met Rocco en Felix proberen. Daarom is het erg belangrijk dat je de bal afgeeft!'

Ik knikte zonder aarzelen. Natuurlijk wilde ik dat en daarom vergat ik de mist die nog altijd om me heen hing.

Toen was het zover.

Vanaf dat moment was Willie niet meer onze trainer, maar werd hij de scheidsrechter. Nu hing alles van onszelf af. Maar dat was de Wilde Voetbalbende gewend. We vormden een kring en legden de armen om elkaars schouders. Marlon, de aanvoerder, telde langzaam tot drie.

'Eén, twéé, dríé!'

'RAAAHHH!' klonk toen de schreeuw die iedereen door merg en been ging.

De tegenstander kromp geschrokken ineen en bij de aftrap waren ze nog steeds niet helemaal van de schrik bekomen. De midvoor struikelde over de bal. Het volgende moment was ik er al. Ik had de bal en ging er recht mee op het doel van de tegenstander af.

De verdediging van de Amstelleeuwen stond er wat beteuterd bij. Ik had ze totaal overrompeld met mijn aanval. Toen schoot ik vanaf tien meter de bal in de bovenhoek.

Een-nul! Ik gooide mijn armen in de lucht en rende regelrecht naar de vip-lounge bij Willies stalletje. Daar sprongen mijn ouders van hun stoel en sloegen enthousiast hun armen om me heen.

'Wi-hi-hillie!' riep ik overgelukkig. 'Dat was de eerste van de twaalf!'

Maar Willie vertrok geen spier. Hij was nu scheidsrechter, niet onze trainer. Hij keek me alleen maar nadenkend en bezorgd aan. Ook bij twee-nul, weer door mij, keek hij niet blij. En bij mijn derde solo begreep ik ook waarom.

De Amstelleeuwen waren van hun verbazing bekomen en hun trainer had me meteen doorzien.

'Pak die hanenkam, mannen!' riep hij. 'Hij geeft de bal niet af!'

En dat deden zijn spelers toen ook. Met zijn drieën versperden ze me de weg. Als ik iemand gezien had, zou ik gepasst hebben. Dat zweer ik je. Rocco en Felix stonden moederziel alleen voor het doel. Eén pass van mij en ze hadden gescoord. Maar ik keek naar mijn schoenen en liep me vast.

Ik verloor de bal en nu vielen de Amstelleeuwen aan. Ze stonden onder aan de ranglijst. Maar ze waren ook ongeveer een jaar ouder dan wij. We speelden tegen een E. Deze jongens waren allemaal groter en sneller dan wij en daar werd keihard gebruik van gemaakt. De tegenaanval, die op mijn balverlies volgde, leidde tot een doelpunt. Twee-een was het nu.

Rocco nam het heft in handen. Hij riep me naar de middencirkel en schoof de bal naar mij. Ik moest naar Marlon terugspelen, terwijl Felix en hij de ruimte in renden om zijn pass aan te nemen. Ze wilden in de rug komen van de verdedigers van de Amstelleeuwen. Maar ik kon Marlon niet zien. Ik zag alleen maar mist. Ik wist niet wat ik moest doen en hield de bal veel te lang. De spits van de Amstelleeuwen pakte hem van me af. Bij de volgende aanval van de tegenstander werd het twee-twee.

'Krabbenklauw en kippenkak!' riep Joeri woedend. 'Waarom geef je niet af, sukkel?'

Het bloed vloog tot in mijn haarwortels en zoog de kleur uit mijn hanenkam. Ik werd zo rood dat mijn haar erbij verbleekte en ook mijn vader en moeder schaamden zich nu voor me.

Sidderende kikkerdril! Dit wilde ik niet, en dus ging ik er helemaal voor. Ik was overal, voor en achter. Bij de volgende aanval van de Amstelleeuwen sprong ik in de baan van de bal. Ik hoorde niet hoe Joeri nog schreeuwde: 'Nee, Deniz, niet doen! Ik heb hem al!'

Ik hoorde hem niet, en daarom sprong ik niet alleen voor de bal. Ik sprong ook tegen Joeri aan, en ramde met mijn noppen zijn rechterbeen. Joeri viel kermend op de grond. Hij greep naar zijn knie en schreeuwde tegen mij: 'Achterlijke Turk! Heb je stront in je ogen, of zo?'

Max en Marlon droegen hem het veld af. Joeri 'Huckleberry' Fort Knox kon niet doorspelen. Ik had hem knock-out geslagen. En omdat het eenmans-middenveld door niemand te vervangen was, lagen we bij de rust al met drie-twee achter.

De Wilde Bende kwam bij elkaar voor Willies stalletje, maar ik durfde er niet heen. Onder het zonnescherm wachtten mijn ouders en ik voelde hun boze blikken. Daar veranderden de aardige dingen die mijn moeder zei om mij moed in te spreken, niets aan.

'Deniz, kom op, jullie redden het heus wel! Je hebt goed gespeeld. Hè, Willie? Deniz heeft toch twee doelpunten gescoord!'

Maar wat ze zei, had dezelfde uitwerking als haar ogen. Drukkend en zwaar, net als het motorjack van mijn opa. En in plaats van bij mijn team te gaan staan, ging ik een eindje verderop in het gras zitten. Ik schaamde me verschrikkelijk. En toen Willie floot voor het begin van de tweede helft zei ik alleen maar: 'Wi-hi-hillie, ik wil niet meer.'

Waar kan ik heen?

De tweede helft tegen de Amstelleeuwen was een marteling. Willie had zwijgend geaccepteerd dat ik niet meer wou spelen. Ik zat nu machteloos toe te kijken hoe we van de kneusjes verloren.

Vanessa, de onverschrokkene, speelde voor mij als rechtsbuiten en Jojo, die met de zon danst, kwam in plaats van Felix op links. Ze speelden goed. Vanessa en Rocco maakten allebei een doelpunt, maar de Amstelleeuwen bleven ons voor.

Josje van zes, ons geheime wapen, kon zijn broer Joeri nooit vervangen. De Amstelleeuwen vochten inderdaad als leeuwen. Toen het zeven-vier voor hén was, sloop ik stilletjes weg. Ik liet alles achter. Zelfs mijn sporttas en mijn motorjack nam ik niet mee. Op mijn voetbalschoenen en in mijn shirt van de Wilde Voetbalbende kroop ik door een gat in de schutting en rende weg.

Op de markt zag ik Dikke Michiel en zijn Onoverwinnelijke Winnaars. Ze waren klaar met hun werk in de grote bloembakken en zaten wat te suffen in de zon. Maar toen ik aan kwam rennen, deden ze hun ogen open.

'Nou, wat heb ik gezegd?' rochelde Dikke Michiel. 'Die hufters blijven als kauwgum en hondenstront aan je voeten plakken!'

En op datzelfde moment trapte ik in een drol. De monumentale Chinees schaterde het uit en hij lachte nog steeds toen ik in de tram wegreed.

Thuis wist ik opeens niet meer waar ik heen moest gaan. Wat had ik thuis nog te zoeken? Ik was gevlucht uit het team. Dat was duidelijk. Ik was weggerend en had hun oordeel niet eens afgewacht. Ze waren vast al naar Fabi en Leon om hun te smeken terug te komen. Om mij zouden ze alleen maar lachen. Een paar weken lang zouden ze zeggen: 'Weet je nog, De-he-heniz, die blinde Turk? Alle kippenklauwen! Zelfs Raban en Josje zijn beter dan hij.'

Zo zouden ze over me praten en al snel zouden ze me vergeten. En ook voor mijn ouders zou ik een nul zijn. Dat had mijn vader toch gezegd: dan is voetballen voor jou over en uit! En voor hem en mijn moeder is het voetbal van hun jongens het allerbelangrijkste.

Dus wat moest ik thuis nou nog? Weet jij het? Denk je dat mijn vader het goed zou vinden als ik vanaf nu ging minigolfen? Sidderende kikkerdril! Mooi niet! Daarom ging ik niet naar binnen, maar liep ik langs ons huis. Ik pakte de sleutel die aan een touwtje om mijn hals hing. Ik trok hem over mijn hoofd en gooide hem met mijn ogen dicht heel ver weg. Toen liep ik naar het speeltuintje op de hoek en verstopte me onder de glijbaan. De laatste keer dat ik hier zat, was meer dan vijf jaar geleden. Toen was ik net vijf geworden.

De bril met de jampotglazen

Tegen zevenen werd het donker en heel koud. Tenminste, voor iemand die alleen maar een voetbalshirtje aanheeft. Om negen uur begon het te regenen. De grond onder de glijbaan veranderde in een ijzige modderpoel. Maar het kwam niet in me op om weg te gaan. Ik trilde met mijn voet zodat m'n been begon te bibberen. Want dat helpt, denk ik, als je aan het verdrinken bent. Of als je niet meer weet wie je bent. Dan helpt het als je je ogen dichtdoet en voelt of ergens nog iets trilt, en wáár. Want dan kun je weer helder denken. Tenzij je er verslaafd aan bent. Aan dat trillen en beven bedoel ik. Dan is het te laat. Dan kun je niet meer zonder en raak je jezelf helemaal kwijt. Dan maakt het ook niet meer uit waar je bent. Dan is een plas onder de glijbaan misschien wel de beste plek.

Maar zo ver was het nog lang niet. Iets in me bleef helder en opeens deed ik mijn ogen open. Als een tijger in de jungle die wakker schrikt, spiedde ik in de mist die altijd om me heen hing. Ik werd zenuwachtig. Ik werd bang. Ik schaamde me zelfs een beetje. Maar ik had niet genoeg kracht om op te staan. En toen kwamen ze al. Als samoerai kwamen ze tevoorschijn uit de mist en liepen trots naar me toe.

Ik fronste mijn wenkbrauwen. Ik wist niet of ik bang moest zijn, en eigenlijk maakte dat ook niet uit. Ik kon toch niet meer wegrennen. En bovendien, de zwaardvechters zagen er vriendelijk uit. Ze wilden me helpen. En zelfs als het duivels uit de hel waren, ze kwamen speciaal voor mij.

Toen lieten ze hun gezicht zien. Als eerste herkende ik Marlon in het licht van de straatlantaarns. Rechts van hem volgde Raban. Aan de linkerkant Vanessa en toen stond plotseling de hele Wilde Bende om me heen.

Ik werd wakker. Mijn trots en mijn eergevoel waren terug en ik sprong geschrokken overeind. Maar ik dacht even niet aan het glijbaantje boven me en stootte keihard mijn hoofd.

'Benggg! Hij is het inderdaad!' grijnsde Josje. 'Deniz, stijfkop, doet het pijn?'

Ik wreef over mijn bult. 'Wa-hat willen jullie van me?' vroeg ik boos. 'En hoe weten jullie eigenlijk dat ik hier ben?'

'We mogen je wel.' Marlon haalde zijn schouders op. 'En we hadden het erover wat wij zouden doen als we jou waren en het met ons zo fout was gegaan.'

'Hoezo fout!' riep ik boos. 'En waarom zouden jullie mij mogen? Ik kan mezelf prima voor de gek houden. Daar heb ik jullie niet voor nodig!'

'Ja, dat zie ik!' zei Vanessa met een grijns. 'Daarom zit je hier. '

'Weet je wa-hat jij kunt doen?' riep ik.

'Ja, en dat kun je zelf ook,' snoerde Raban me de mond. 'Verbeeld je maar niks! Het is heus niet zo gek dat je hier onder die glijbaan zit. We hebben allemaal wel zo'n plek. Ik verstopte me altijd in de prullenmand van mijn moeder. Maar als ik dat nu probeer, kom ik niet verder dan m'n kont. En dat zou er net zo stom uitzien als hoe jij hier nou zit. Snap je?' Raban glimlachte naar me en op een of andere manier moest ik wel terug glimlachen.

'Wil je niet weten hoe de wedstrijd afgelopen is?' vroeg Felix.

Ik keek hem verrast aan en mijn glimlach verdween weer.

'Jullie he-hebben verloren,' mompelde ik somber. Ik kroop weer terug onder de glijbaan.

'Dat klopt,' antwoordde Felix. 'We hebben verloren. Maar het scheelde weinig. Het werd acht-zeven voor de Amstelleeuwen, om precies te zijn.'

'Zie je wel, dat zei ik toch,' fluisterde ik. 'Het herfstkampioenschap kunnen we wel vergeten.'

'Mis!' zei Marlon grinnikend. 'De nummer één heeft tegen de Baarsjes gelijkgespeeld. En als wij van ze winnen, kan het bij de laatste wedstrijd tegen de Valkeniers nog alle kanten op.'

'Maar hoe willen jullie dan van de Baarsjes winnen?' vroeg ik somber.

'Met jou,' antwoordde Vanessa. 'Met wie anders? Met jou samen zouden we vandaag ook hebben gewonnen.'

Ik keek haar aan alsof ze net beweerd had dat ik Alibaba én de veertig rovers in hoogsteigen persoon was.

'Ma-haar ik geef de bal toch nooit af,' protesteerde ik.

'Nou en? Dat kan veranderen,' was Marlons weerwoord.

'Nee, dat kan niet,' counterde ik. Ik voelde de tranen in mijn ogen prikken. 'Het ligt niet aan de training. Het is ook niet zo dat ik het niet wil... Het komt doordat...'

Nee. Ik kon en wilde het echt niet zeggen.

'Nou?' vroeg Marlon en hij ging voor me op zijn hurken zitten.

Ik schudde heftig mijn hoofd.

'Raban! Kom eens even hier,' zei Marlon en Raban was er meteen.

De tranen liepen nu over mijn wangen. 'La-haat me nou maar,' smeekte ik.

'Waarom? Alleen vanwege die stomme mist?' vroeg Raban

en deed zijn bril af. 'Zonder bril heb ik dat ook. Ik ben zowat blind.'

'Ja, maar jij bent Ra-haban de h-held! Bij jou maakt dat toch niets uit,' zei ik tegen Raban. 'Ik moet de beste nummer 9 worden van de he-hele wereld. Dat moet van mijn va-hader. En heb jij ooit een centrumspits gezien met zo'n jampotbril?'

Raban schudde zijn hoofd en staarde teleurgesteld naar de grond. Hij zei niets meer.

Sidderende kikkerdril! Waarom deed ik zo rot tegen hem? Maar Vanessa gaf het nog niet op.

'Ik weet het niet. Ik zou een centrumspits mét bril die de bal wél afgeeft in elk geval beter vinden,' zei ze vriendelijk maar ernstig. 'Mag ik je bril even, Raban?'

Dat mocht. Voorzichtig zette ze Rabans bril op mijn neus.

'Dan zou het me ook niks uitmaken of hij een jampotbril

had,' glimlachte ze en – sidderende kikkerdril – die glimlach zag ik nu voor het eerst scherp. Alle brakende beren! Vanessa was leuk! Opeens wilde ik alleen nog maar de Baarsjes verslaan voor de Wilde Bende. Blij pakte ik Vanessa's hand. Ik trok me op zonder mijn hoofd te stoten en kroop onder de glijbaan uit. Marlon stond ook op.

Ik ging naast Vanessa staan, rekte en strekte me en voelde me een stuk beter. Ik haalde diep adem en keek om me heen. De mist was verdwenen. Ik kon meer dan vijf meter om me heen zien. Ik zag zelfs de straat nog, bijna vijftig meter van me vandaan, en ik zag mijn ouders. Ze stonden op de stoep en staarden me aan.

Zo leek het in elk geval. En op hetzelfde ogenblik schoot alles me weer te binnen.

'Nee! Het kan niet.' Ik schudde mijn hoofd. 'Ik moet stoppen met voetbal. Dat zei mijn vader: als ik nog één keer weg zou lopen, was voetballen over en uit voor mij.'

Ik keek mijn vrienden wanhopig aan. Ja, man, dat waren ze nu. Echte vrienden. Vrienden zoals ik nog nooit had gehad en die naar mij toe gekomen waren, hoewel ze door mijn schuld verloren hadden van de kneusjes van de competitie. Ze stonden nu achter omdat ík de bal niet afgegeven had. En ze hadden dat niet meer kunnen inhalen toen ik ervandoor was gegaan.

Waarom was het leven zo onrechtvaardig? Waarom was op het moment dat je alles leek te hebben, alles meteen ook weer voorbij?

Mijn ouders kwamen nu mijn kant op. Een paar bonkende hartslagen lang wenste ik de Wilde Bende naar de maan, en mezelf terug onder de glijbaan.

Maar toen ging Raban naast me staan.

'Dampende kippenkak!' riep hij en sloeg een arm om mijn

schouders. 'Waar wachten jullie nog op? Deniz heeft ons nodig!'

'Ja, Raban heeft gelijk!' riep Vanessa. Ze ging aan de andere kant naast me staan. Daarna volgden Marlon, Rocco, Max, Joeri, Jojo, Marc en Felix en als laatste wurmde Josje zich tussen Vanessa en mij in. We legden onze armen om elkaars schouders en toen mijn ouders bij ons waren, stonden we als een muur voor hen.

'Meneer en mevrouw Sarzilmaz? Goedenavond,' nam Marlon als aanvoerder het woord.

'We willen u iets belangrijks vertellen,' voegde Vanessa eraan toe. Raban grijnsde alleen maar.

'Weet u, Deniz is helemaal niet weggerend.'

Mijn ouders keken van Marlon naar Vanessa, naar Raban en toen naar mij. Naar mij met mijn hanenkam en die jampotglazen op mijn neus. Ik leek wel een clown. Een clown in een kletsnat voetbalshirt.

'Dat zie ik anders,' zei mijn vader. Het klonk hard.

'Ja, maar toch,' zei Felix. Felix de wervelwind. João Ribaldo, de Braziliaanse voetbalgod, had voor Felix het magische rugnummer 7 uitgezocht. 'Toch willen we dat Deniz bij ons blijft. Ook als hij nog niet de beste nummer 9 van de wereld is. En ook als dat nog een paar jaar duurt.'

Mijn moeder slikte ontroerd en mijn vader schuifelde verlegen met zijn voeten. Hij kuchte een paar keer, maar kreeg het brok gewoon niet uit zijn keel.

'Deniz, gaat het wel goed met je vader?' vroeg Josje aarzelend.

'Of doen ze in Turkije altijd zo als ze het ergens mee eens zijn?' grijnsde Joeri, zijn oudere broer.

Ik schoot in de lach, ondanks mijn tranen. Ik rende naar mijn ouders en sloeg mijn armen om hen heen.

'Papa! Ik moet een bril met jampotglazen,' zei ik lachend. 'Als ik bij de Wilde Bende mag blijven. En dat mag toch? Ja, toch?'

'Je mag in de eerste plaats naar huis!' Mijn vader maakte zich los uit mijn omarming. 'Droge kleren aan en wel onmiddellijk!' Hij draaide zich om en liep in de richting van onze flat. Mijn moeder wierp een laatste blik op mij en liep toen achter hem aan.

Ik aarzelde. Met gebogen hoofd gaf ik Raban zijn bril terug. Toen liep ik achter mijn ouders aan. Ik draaide me niet om toen Raban me riep.

'Deniz! Hé, Deniz! Door jou zijn Leon en Fabi weggegaan. Als jij ons nou ook al in de steek laat, kunnen we het wel schudden tegen de Baarsjes!'

Deniz loopt warm

De volgende dag zat ik met mijn moeder bij de opticien en kreeg ik een bril. Ik lette er goed op dat de bril er zo'n beetje hetzelfde uitzag als die van Raban. Alleen de kleur van het montuur was anders. Rabans bril was rood en de mijne was knaloranje.

'Zo. En nu wil ik geen smoesjes meer horen als je op school iets hebt gemist!' zei mijn moeder tevreden.

'Op school?' vroeg ik verbaasd. 'Daar red ik het zelfs met een blinddoek voor. Die bril heb ik nodig om te voetballen.'

'O ja?' Mijn moeder keek fronsend op haar horloge. 'Als we een beetje opschieten, ben je nog voor de pauze terug op school! Daarna heb je rekenen. Klopt dat?' vroeg ze glimlachend. We liepen de winkel van de opticien uit.

'Wacht even, mam!' Ik rende achter haar aan. 'Met rekenen haal ik zonder bril al een tien! Maar de training? Maham! Mag ik nou naar de Duivelspot of niet?'

'Ja hoor, dat mag!' antwoordde mijn moeder. 'Maar laat je niet inmaken door de Baarsjes!'

'Sidderende kikkerdril!' riep ik en ik vloog haar om haar hals. 'Heb jij papa overgehaald?'

'Mmm,' lachte ze. 'Maar denk wel een beetje aan 'm. Hij schaamde zich gisteren dood voor je.'

'Sorry, mam. Ik zal vanaf nu nog beter mijn best doen op school, en ook op het voetbalveld! Ik zweer het je!' Ik gaf haar een dikke zoen en reed met haar terug naar de school.

Rekenen was een makkie. Na school ging ik met de bus en de tram naar de Duivelspot.

De weg erheen leek veel korter dan eerst. Met mijn nieuwe bril zag ik alles. De mist was verdwenen. Alle brakende beren! Wat was de wereld groot en wat kon ik ver kijken! Overal ontdekte ik nieuwe dingen en die gaven me energie. Zo veel energie dat ik op het grote plein uitstapte. Er waren nog steeds twee rekeningen te vereffenen.

Eerst zocht ik de taxistandplaats. Daar had die ene taxichauffeur de krant zitten lezen toen ik hem naar de weg vroeg. Weet je nog? Dat was op mijn eerste rit door de stad. Ik was toen helemaal alleen. Ik had mijn bril nog niet. Ik was verdwaald. Maar dat kon die vent niks schelen. Hij had zijn raampje dichtgedaan en me weggejaagd.

Daar was hij. Hij stond aan het begin van een ellenlange rij taxi's. Het was blijkbaar niet druk. Ik keek een poosje naar hem en zag dat hij in die korte tijd al de derde gevulde koek in zijn mond stopte.

Ik grijnsde en liep naar de telefooncel een eind verder in de straat. Daar belde ik het nummer dat verderop op de telefoonzuil van de taxistandplaats stond. Zulke dingen kon ik met mijn bril nu goed lezen. Zelfs van een grote afstand lukte dat nog. De lamp op de telefoonzuil begon te knipperen. De taxichauffeur werkte zich met zijn dikke buik uit de oude Mercedes, waggelde om de auto heen en nam de hoorn op.

'Ja, hallo!' meldde hij zich.

'Dag meneer. Ik heb een ta-haxi nodig. U rijdt toch ook over de snelweg?'

De chauffeur klakte met zijn tong. 'Ik rijd overal heen,' schepte hij op.

'O ja? Ook naar Timboektoe?' vroeg ik verrast.

'Ja, ook daarheen. Waarheen u maar wilt!' Hij kletste maar wat. Hij had niet eens geluisterd naar wat ik vroeg.

'Dat is mooi. Want daar moet ik h-heen. Naar Timboektoe, over de snelweg en door de Middellandse Zee.' Ik hield het bijna niet meer van het lachen...

'Waar moet ik u ophalen?' vroeg hij.

'Wat zegt u? Ee-heen moment!' stamelde ik en ik keek op het bordje met de straatnaam boven me. Benterstraat stond daar. 'Komt u alstublieft naar de Benterstraat nummer 5. Ma-haar kan het een beetje snel? Ik he-heb in Timboektoe een afspraak over anderhalf uur.'

De chauffeur sprong in zijn auto en scheurde ervandoor. Hij reed door rood, trok een politieauto achter zich aan en kwam regelrecht op mij af. Maar de politie haalde de taxi in en dwong hem te stoppen.

'Hé! Wat willen jullie van mij?' schreeuwde hij tegen de

agenten. 'Ik moet naar Timboektoe. Dat is een rit over de snelweg. Weten jullie wel hoeveel ik daarmee kan verdienen?'

De agenten keken elkaar aan alsof de taxichauffeur niet goed bij zijn hoofd was.

'Naar Timboektoe?' vroegen ze. 'Over de snelweg?'

'Ja, en over de Middellandse Zee!' voegde de taxichauffeur er gewichtig aan toe.

Maar toen zag hij mij... De Turk met de rode hanenkam. Ik hield de hoorn van de telefoon nog steeds in mijn hand. Toen drong het pas tot hem door dat Timboektoe in Afrika lag.

'Wacht eens even, jij vuile rat! Jou krijg ik wel!' dreigde hij. Hij wilde al uit zijn auto stappen. Maar de agenten hielden hem tegen.

Ik rende weg en lachte zo hard dat ik mijn buik vast moest houden. En ik hield pas op toen ik in de straat met de sigarenwinkel was.

Die sigarenboer was de tweede met wie ik wilde afrekenen. Hij had me voor dief uitgemaakt en de winkel uit geduwd. Weet je nog? En zoiets doe je niet ongestraft met Deniz.

Voorzichtig sloop ik naderbij. Ik had geluk: de man zat op een stoel voor zijn winkel en snurkte luid in de nazomerzon.

Langzaam trok ik een kartonnen bordje uit mijn rugzak dat ik een paar dagen geleden gemaakt had. Ik sloop naar hem toe. Ik bukte me en deed alsof ik mijn veters vastmaakte, maar in werkelijkheid maakte ik *zijn* veters los en knoopte die vast aan de poten van de stoel. Toen pakte ik de mouwen van zijn jack, dat over de leuning hing, en bond ze om zijn buik en armen vast. Nu kon hij zich niet meer bewegen. Tevreden hing ik het bordje om zijn nek. Ik liep naar de overkant en keek vanuit een portiek wat er ging gebeuren.

Het duurde geen twee minuten of de eerste voorbijganger kwam. Hij bleef voor de sigarenman staan. Verbaasd las hij het bordje, fronste zijn wenkbrauwen en schoot toen in de lach. Hij schoot een volgende voetganger aan en wees op het bordje.

'Roken is dodelijk!' stond erop. 'En tabakswinkeliers zijn boos! Daarom mag elke niet-roker aan mijn oor trekken.'

De twee voorbijgangers keken elkaar aan. De eerste grijnsde en boog zich over de man heen. Hij kneep hem hard in zijn oor. Ik wreef in mijn handen. De tweede man trok aan zijn oorlel en de winkelier schrok wakker. Het duurde even voor hij begreep dat dit geen nachtmerrie was tijdens zijn middagdutje. Nee, dit was echt. Er stond een groepje mensen voor zijn stoel die allemaal wilden zien wat er aan de hand was. Zodra ze het bordje hadden gelezen, trokken zij ook aan zijn oor.

'Au! Au! Wat is dit? Au! Zijn jullie gek geworden? Maak me los!' schreeuwde hij. 'Wat zullen we nou krijgen?'

Maar daar dáchten de voorbijgangers niet aan. Iedereen trok aan zijn oor en liep dan door. En toen kwam ik uit de schaduw tevoorschijn en grijnsde naar hem.

De tabakshandelaar was zo perplex dat hij vergat om 'au!' te zeggen. Sprakeloos keek hij me aan en ik gaf hem een knipoog. Toen ging ik er grijnzend vandoor. Pas toen ik zo'n honderd meter verder was, kwam hij weer bij zijn positieven. 'Au! Hou op!' schreeuwde hij. En ik balde mijn vuist en brulde: 'Raahhh!'

Tevreden liep ik naar de bushalte en toen ik bij de Duivelspot uitstapte stak die oude vrouw weer over. Zij had me met haar kruk bedreigd om me als een vampier te verjagen. Maar deze keer zag ze me niet. Ze liep met een mand boodschappen te zeulen die veel te zwaar voor haar was.

'Pardon, mevrouw. Za-hal ik die mand even voor u dragen?'

De oude vrouw glimlachte dankbaar. Maar toen ze mijn hanenkam zag, bleef ze ontzet staan.

'Niet bang zijn,' glimlachte ik. 'Ik heb al ontbeten. Ik bedoel, ik eet u niet op, hoor.'

Toen droeg ik de mand tot aan haar huis. Ik kreeg een appel als beloning.

Daarna liep ik langs de grote bloembakken op het pleintje. Daar stonden de Onoverwinnelijke Winnaars van Dikke Michiel. Ze hadden taakstraffen bij de plantsoenendienst en als straatvegers omdat ze Camelot hadden aangevallen.

'Hoi Michiel!' riep ik. 'Je voorspelling was bullshit. De Wilde Bende is de beste club van de wereld. En nou jij lekker de straat veegt, hoef ik ook niet meer in de stront te trappen!'

Ik beet in de appel en liep ze voorbij. Ik voelde me geweldig. Als een sportman die vier jaar voor de Olympische Spelen traint en op de dag van de wedstrijd in topvorm is.

Bij de training in de Duivelspot was ik niet meer te verslaan. Ik dribbelde als een duivel en voor het eerst in mijn leven gaf ik de bal af!

De bal afgeven is niet genoeg

Nadat we ons warmgelopen hadden, riep Willie ons bij elkaar. Hij deelde ons in drie groepen in. Countervoetbal stond op het programma. Als eersten liepen Marlon, Vanessa en ik op het doel van Marc af.

Marlon passte de bal vanuit de middencirkel naar mij, op rechtsbuiten. Ik dreef de bal naar de hoekvlag toe. Daar gaf ik een keiharde voorzet – net als Roberto Carlos – in het strafschopgebied. Daar vloog Vanessa in duikvlucht over het gras en kopte de bal als een torpedo in het doel.

'Goed gedaan, Deniz!' riep ze en ze stak waarderend haar duimen omhoog. 'Dat had Fabi niet beter gedaan.'

Daarna wisselden we van positie. Vanessa was nu de rechtsvoor en Marlon speelde linksbuiten. Ik was de spits. Hoog in de lucht sprong ik Vanessa's voorzet tegemoet. Ik verlengde hem met een kopbal naar Marlon. Die volleyde hem met links onhoudbaar en genadeloos langs de keeper.

'Raaahhh!' Marlon balde zijn vuist en Vanessa riep: 'Alles is cool!' Ze liep regelrecht op mij af met haar hand in de lucht voor een high five.

'Zolang je maar wild bent!' Ik sloeg tegen haar hand en keek regelrecht in haar glimlach.

'Zo had Leon het ook gedaan,' zei ze glimlachend. 'Precies zo!'

'Zo schieten we de Baarsjes naar de maan,' riep ik. 'Hebben

jullie dat a-hallemaal gehoord?' Ik keek vol verwachting de kring rond. Zo blij en trots was ik nog nooit geweest. 'En ik zweer jullie dat ik Fa-habi én Leon zal vervangen!'

Ik hief triomfantelijk mijn vuist, maar in plaats van dat er gejuich klonk, werd het stil. Muisstil.

Alsof ik een toverwoord had uitgesproken dat alles liet verstommen, wendde de Wilde Bende zich nu van me af. Ze sjokten naar het stalletje en gingen moe in het gras zitten. Alleen Willie stond nog in de middencirkel. Hij keek naar mij.

'Wa-hat is er?' vroeg ik geïrriteerd. 'He-heb ik iets gedaan?'

Willie fronste zijn wenkbrauwen. 'Snap je dat niet?' vroeg hij alsof het overduidelijk was. 'Je zei net dat je beter bent dan twee jongens van de Wilde Bende bij elkaar.'

'Ma-haar, da-hat ben ik ook!' counterde ik. 'En jullie mogen blij zijn dat jullie mij hebben. Die twee zijn er toch helema-haal niet meer? Ze zijn 'm gesmeerd!'

'Net als jij,' was Willies antwoord. 'Jij bent toch ook weggelopen?'

'Ja! En jullie he-hebben me teruggehaald. Jullie he-hebben me teruggehaald omdat jullie me nodig hebben!'

'Nee, omdat we je tof vinden,' antwoordde Willie. 'En omdat jij veel van een Wilde Bende-lid weg hebt. Maar Leon en Fabi zijn niet te vervangen. Daarom vraag ik je: haal hen alsjeblieft voor ons terug!'

'Ik? Wi-hi-llie, ben je gek geworden? Mooi niet,' zei ik boos. Ik liep naar mijn tas aan de rand van het veld. 'Als jullie Fa-habi en Leon terug willen, ga ze dan zelf maar halen! Maar dan doe ik niet meer mee.'

Met deze woorden stopte ik mijn spullen in mijn tas en liep met grote stappen de Duivelspot uit. Alleen Vanessa keek me nog even aan. Misschien had die blik iets te maken met wat er daarna gebeurde.

Toen ik op de top van de heuvel kwam, draaide ik me om. In de Duivelspot ging Willie bij de Wilde Bende in het gras zitten. Ze leken zich geen raad te weten. Ik trouwens ook niet. Ik kon nergens meer heen. Thuis wachtte mijn vader, die ik natuurlijk niet kon gaan vertellen dat ik niet meer bij de Wilde Bende hoorde. En in de Duivelspot wilden ze liever Fabi en Leon.

Ik ging op mijn tas zitten. En ik zou er nu nog zitten als Raban niet was opgedoken. Samen met Vanessa. Ze hurkten naast me neer en zeiden geen woord. Ze wachtten alleen maar en ten slotte kon ik het niet meer uithouden.

'Sidderende kikkerdril!' Ik sprong op, zwaaide met mijn armen en staarde de twee vol verwijt aan. Raban keek sluw grijnzend naar me op en Vanessa glimlachte onverdraaglijk. Alle brakende beren! Waarom gooide ik mijn bril niet weg? Maar daarvoor was het al te laat.

'Dan haal ik die twee toch weer terug!' snauwde ik en ik liep weg.

Vanessa en Raban keken me na. De glimlach van het meisje veranderde in een triomfantelijke grijns en ze gaf Raban een harde high five. Toen kwamen ze achter me aan.

De zeilboot

We liepen kriskras door de stad en vonden Fabi en Leon ten slotte. Ze zaten in de wei bij de brug en gooiden stenen in de rivier. Maar dat deden ze alleen maar omdat ze niets anders konden bedenken. Ook al waren we vijanden, toch begreep ik hen meteen.

Sidderende kikkerdril! Wat kon een Wilde Bende-lid anders doen dan voetballen? Er bestond toch niets anders? Hoe je ook je best deed iets te verzinnen. En Fabi en Leon waren uitverzonnen.

Hun voetbalschoenen hingen hoog in een boom. Hun voetbal dreef als een zeilbootje zonder lucht slap in de rivier. De mast was een stok die ze in het ventiel hadden gestoken en de zeilen waren de scheenbeschermers van Leon. Links en rechts van hen hadden ze kuilen gegraven. Er zaten schoenendozen zonder deksel in die als doodskistjes dienden. Daarin lagen hun shirts van de Wilde Voetbalbende.

Wat vreselijk! Ik was het liefst bij ze gaan zitten om een potje te janken. Maar ik was niet alleen. Raban en Vanessa waren er ook nog.

'Dampende kippenkak!' riep Raban geschokt. 'Wat is er met jullie?'

Maar Fabi en Leon zeiden geen woord. Ze keken niet eens om. Ze pakten gewoon de eerste de beste steen van de grond en probeerden daarmee het zeilbootje te laten zinken.

'Hé, stelletje sukkels! Ik ben het, Vanessa. Willen jullie echt zo gezien worden door een meisje?'

Maar zelfs dat kon Leon en Fabi niks schelen.

Ik kon het gewoon niet geloven. Ik trok bijna de hanenkam uit mijn hoofd. Zo erg was ik in de war. Aan de ene kant wilde ik niets met die twee te maken hebben. Aan de andere kant vond ik dit vreselijk. Waarom deden ze zo? Sidderende kikkerdril!

'Zo is het wel genoeg geweest!' riep ik. Ik praatte een beetje gewichtig, hoorde ik. 'Vandaag is zover. Leon, jij en ik hebben nog iets uit te vechten!'

'Je meent het!' was het enige dat Leon zei. Het leek alsof niet alleen alle lucht uit de bal was, maar ook uit hem.

'Ja-ha, en je weet best wat ik bedoel. Toe-hoen bij mijn proeftraining. Je durfde niet tegen me uit te komen, weet je nog?'

'Dat is niet waar!' protesteerde Leon, maar hij deed in elk geval niet meer zo verveeld als net. 'Ik hóéfde niet tegen je te spelen. Jij had al verloren. Of ben je dat soms vergeten?'

'Ja, maar niet tegen jou. Tegen Va-ha-nessa.'

'Ga je je nou achter een meisje verschuilen? Zeg dat nog eens!' Nu sprong Leon op en keek me met fonkelende ogen aan.

De verveling was weggeblazen en ik had hem eindelijk waar ik hem hebben wilde.

'Kom op, zeg dat nog eens!' dreigde Leon opnieuw.

'Nee,' antwoordde ik vastberaden. 'Ik ze-heg het pas als het echt zo is.'

'Aha. En wanneer is dat dan?'

'Als je tegen me speelt en verliest,' grijnsde ik.

'Dat kan geregeld worden!' Hij spuwde vuur. 'Tot zo. In de Duivelspot!'

En toen sprong hij in het water. Hij crawlde naar het zeilbootje alsof er een gouden medaille op het spel stond. Toen haalde hij het uit het water.

Het duel

Een kwartiertje later verschenen Leon en Fabi in de Duivelspot. Ze hadden hun shirt, broek en knaloranje kousen aan om iedereen te laten zien dat ze klaar waren voor de strijd.

Het speelveld was afgezet. Zeven bij twaalf meter, en als doelen hadden we twee bierkratten rug aan rug in het midden van het veld gezet.

Zonder iets te zeggen liep Leon de arena in en ging recht voor me staan.

'Ik speel onder één voorwaarde,' zei hij luid en duidelijk. 'Als ik win, komen we weer terug. Maar Deniz moet dan weg.'

'En als je verliest?' vroeg ik cool.

'Dan blijft het zoals het is,' antwoordde hij zonder aarzelen.

Ik keek hem aan en knikte. 'Oké, deal.

En je ziet het niet zitten als we a-hallemaal in één team spelen?'

'Nee. Waarom zou ik? Ben je soms bang?' vloog hij op.

'Ja,' zei ik, 'ik ben bang. Ik weet alleen nog niet precies waarvoor!'

'Dat zal ik je dan wel even laten zien!' lachte Leon. 'Kom op, waar wacht je nog op. Willie! Fluit maar!'

Willie bekeek onze verhitte gezichten. 'Dit is een voetbalduel! Is dat duidelijk?' vroeg hij streng en hij wachtte tot we knikten. 'Goed, want als een van jullie de sportiviteit ook maar een béétje vergeet, dan heeft hij voor de laatste keer in zijn leven de Duivelspot van binnen gezien.'

Leon en ik slikten. Het was duidelijk. Dit was ernst. En we wisten dat Willie in dit geval voor niemand een uitzondering zou maken.

Toen begonnen we. Willie floot en gooide de bal in de lucht. We sprongen allebei op. We wachtten niet tot hij op de grond kwam. Onze schouders botsten hard tegen elkaar, maar onze armen bleven langs ons lijf en daarom was alles toegestaan. We gaven elkaar niets cadeau. We lieten geen bal, geen tweegevecht verloren gaan, en na een kwartier gingen de eerste toeschouwers in het gras zitten.

Na een half uur zat iedereen langs de zijlijn en na een uur stuurde Willie Marlon en Rocco naar zijn stalletje om cola te halen. Hij bood ons aan even rust te houden, maar wij waren te zeer in het gevecht gewikkeld. We konden nu niet stoppen. We hadden maar één gedachte: de ander verslaan.

Maar na twee uur kregen we daar spijt van. Onze tong lag als een uitgedroogde spons in onze mond. En de Wilde Bende lag te slapen in het gras. Niemand van hen had de puf om

zo'n lange strijd te blijven volgen. Ten slotte kon zelfs Willie niet meer en verzocht ons om zonder scheidsrechter verder te spelen. En toen het donker werd, strompelden we allebei bekaf van het veld.

Maar dat deden we alleen maar om de lampen aan te doen. Toen speelden we verder, eerst nog rechtop, toen op onze knieën en ten slotte kropen we op handen en voeten rond tot we ook dat niet meer konden.

Uitgeput en halfdood lagen we naast elkaar in het gras.

'Moggavend verde!' rochelde Leon.

'Wa zei je?' vroeg ik al even onduidelijk.

'Mogge maak ik je zo in dat je niemeer aan voebal kan denke!' fluisterde Leon.

'Oké,' mompelde ik.

'En dan gawe same op minigolf!' lachte Leon. Toen legde hij zijn hoofd op mijn arm.

Van man tot man

Toen ik thuiskwam, was het al bijna half elf. Mijn ouders werkten allebei overdag, en daarom maakte niemand zich 's middags zorgen om ons. Maar 's avonds was dat anders. En half elf was echt te laat. Heel voorzichtig stak ik de sleutel in het slot en deed de voordeur open. Ik wilde meteen naar bed en hoopte dat mijn ouders morgen in de opstaan-naar-school-en-weg-naar-kantoor-stress zouden vergeten dat ik zo laat thuis was gekomen. Maar op weg daarheen moest ik door de keuken. En daar stond mijn vader.

Hij was zenuwachtig. Daar had hij wel vaker last van. Voor dit soort avonden was ik bang. En ik besefte ook elke keer weer hoe weinig ik eigenlijk van hem wist. Ik wist amper wat voor werk hij deed. Nu was hij echt zenuwachtig. Waarom dat van tijd tot tijd zo was, hadden ze wel een beetje aan me uitgelegd. Mijn vader was ziek. Dat wil zeggen, af en toe. Soms was hij ziek. Soms moest hij zelfs in het ziekenhuis blijven. Maar nu was hij hier. Hij keek me in het licht van de open koelkast argwanend aan.

'Waar kom jij vandaan?' vroeg hij en hij morste daarbij de melk die hij in zijn koffie wilde gieten.

Ik zei geen woord. Ik vroeg me alleen maar af of dat wel goed voor hem was, koffiedrinken voor het slapengaan.

'Waar kom je vandaan?' vroeg hij nog eens. 'Heb je weer verloren?'

Ik schudde mijn hoofd. Ik moest voorzichtig zijn.

'Dan ben je weggelopen!' verweet hij mij.

'Echt niet,' protesteerde ik. 'Ik he-heb een hele goeie dag gehad!'

Mijn vader fronste zijn wenkbrauwen. Ik wist nooit wat hij het volgende moment ging doen.

'Vertel!' lachte hij. 'Dat is goed. Dat is heel goed.' Hij pakte zijn beker koffie en ging zitten. 'Kom! Kom hier zitten,' zei hij. 'Vertel me alles!' Hij was nu heel vriendelijk en zijn ogen fonkelden als sterren in een nacht zonder maan. Als hij zo was, hield ik zo veel van hem. Ja, zo was hij mijn vader.

'Kom op met je verhaal, Deniz. Je had een goeie dag. Had het met voetballen te maken?'

'Ja, met Leon!' zei ik alleen maar.

'Leon wie?' vroeg mijn vader en hij werd weer zenuwachtig.

'Leon de sla-ha-lomkampioen, topscorer en jongen-van-de-slimme-voorzetten. Hij speelt bij de Wilde Bende. Hij is die jongen die om mij uit het team is gesta-hapt. Die mij er niet bij wilde hebben.'

'O ja? Hoezo? Wilde Leon weer terug? Heeft hij je tot een duel uitgedaagd? Wilde hij je weer uit het team wippen?' vroeg mijn vader scherp.

'Nee,' antwoordde ik. 'Ik ben naar hém toe gegaan. Ik heb gevraagd of hij terug wou komen.'

'Ben je nou gek geworden!' Mijn vader schreeuwde opeens. Hij sprong op en veegde de koffiebeker van tafel. 'Waarom haal je zo'n stommiteit uit? Jij bent de beste, Deniz! Jij hebt die Leon helemaal niet nodig!'

'Echt wel,' zei ik met gebogen hoofd. 'Ik he-heb Leon wel nodig. En Fabi ook. We hebben ze allebei nodig, omdat we za-haterdag tegen de Baarsjes moeten winnen!'

Mijn vader liep zenuwachtig te ijsberen.

'Da-hat wil jij toch ook, dat we winnen?' vroeg ik, en toen bleef hij staan.

Hij keek me moe aan, maar zijn ogen flitsten weer. ‘Natuurlijk wil ik dat, Deniz. Natuurlijk wil ik dat!’

Ik balde mijn vuisten. Mijn vingernagels drukten in mijn handpalmen.

‘En wa-hat gebeurt er als we verliezen?’ vroeg ik.

Mijn vader keek me verward aan. ‘Dat begrijp ik niet, Deniz,’ zei hij.

‘Weet je, ik he-heb vandaag heel veel geleerd,’ probeerde ik het hem uit te leggen. ‘Ik he-heb vandaag geleerd dat er nog iets be-belangrijkers bestaat. Iets belangrijkers dan winnen.’

De ogen van mijn vader werden donker.

‘Nee, begrijp me alsjeblieft niet verkeerd,’ zei ik vlug. ‘Dit is geen smoesje. Ik wil niet verliezen. Ma-haar het zou kunnen gebeuren. En ik b-ben daar heel bang voor, weet je. Ik b-ben bang dat ik van jou nooit mag verliezen.’

‘Maar Deniz... Denk toch aan je opa en aan zijn motorjack dat je altijd draagt. Je wilt toch worden zoals hij? De beste nummer 9 van de wereld?’

‘Ja, maar dat mo-hotorjack is veel te groot voor mij,’ protesteerde ik. ‘Ve-heel te groot en ve-heel te zwaar. Dat weet ik nu.’

‘En de tas?’ vroeg mijn vader. ‘Die tas heb ik je gegeven. Je moet altijd weten hoezeer ik in je geloof.’

‘Ja-ha, dat weet ik ook.’ Ik slikte en zweeg lange tijd. ‘Ma-haar kun je niet ook in mij geloven als ik een ke-heer verlies? Weet je, dan zou winnen veel makkelijker zijn.’

Mijn vader keek me diep in mijn ogen. Dieper dan ooit tevoren. En toen sloeg hij eindelijk zijn armen om me heen.

FC De Baarsjes tegen de Wilde Voetbalbende V.W.

Die zaterdag reden we allemaal naar de velden van FC De Baarsjes. Willie had een busje geregeld en we voelden ons echte profs. Zelfs Leon en Fabi deden alsof er nooit iets was gebeurd. Alsof we nooit aan de oever van de rivier hadden gezeten.

En toen begon de wedstrijd.

Al bij de aftrap overrompelden we onze tegenstander. Rocco speelde terug naar Marlon en die passte naar mij op rechtsbuiten. Dat hadden we honderdduizend keer bij de training geoefend. Ik zette het op een lopen en vlak voor de hoekvlag gaf ik een knalharde voorzet naar Leon. Leon zette zijn voet op de bal. De reserves sprongen op en Willie trok de pet van zijn hoofd. Maar Leons schot sloeg tegen de paal. Vandaar sprong de bal terug in het veld en voor mijn voeten. Ik schoot terug naar Max. Die schoot. Onhoudbaar was zijn schot richting doel, maar de keeper van de Baarsjes was minstens even goed als Marc. Hij sloeg de bal met zijn vuist uit de hoek.

In de tegenzet liepen de spitsen van de tegenstander zich vast in het eenmans-middenveld. Joeri 'Huckleberry' Fort Knox beet zich in twee spitsen vast, veroverde de bal en passte hem via Leon naar voren. Leon verlengde de volley en liep achteruit naar Rocco op links. Toen liet de zoon van de

Braziliaanse prof een paar trucs zien. Hij was niet te houden, liep regelrecht naar het doel van de tegenstander en dreef de bal hard naar rechts in de ruimte. Daar stond ik, bewaakt door twee tegenstanders. Maar ik bereikte de bal en stopte hem. Mijn bewakers merkten dat niet en renden me voorbij. Pas een eind verder begrepen ze mijn list en geschrokken draaiden ze zich om. De bal lag moederziel alleen voor het doel en de keeper van de tegenstander liep er al heen. Toen kwam Marlon de nummer 10. Alsof hij een onzichtbaarheidsmantel aanhad, dook hij uit het niets op en lepelde de bal onhoudbaar in het doel.

Stand: nul-een! Dit ging als een trein. Maar de Baarsjes gaven nog niet op. Nee, integendeel. De spitsen vlogen op ons doel af. En alleen omdat Marc de onbedwingbare zelfs de onhoudbaarste ballen nog hield, behielden we onze voorsprong tot de rust.

Maar die was te kort. De tegenstander, die een jaar ouder en twee koppen groter was dan wij, eiste zijn tol. In de tweede helft verdween onze kracht. Wie Willie ook het veld in stuurde, of het nou Vanessa, Jojo, Felix, Fabi, Raban of Josje was, niets lukte. De tegenstander was gewoon te snel en al na 15 van de 25 minuten van de tweede helft lag FC De Baarsjes met twee-een voor.

Het duurde tot vijf minuten voor het einde. Daar bevocht Leon zijn eerste kans sinds de rust. Hij dribbelde zich tussen drie verdedigers door. Nu kon hij schieten en... Sidderende kikkerdril! Nee! Hij werd onderuitgehaald. Willie sprong op, maar de scheidsrechter had het goed gezien. Strafschop voor ons. Die nam Vanessa natuurlijk. Maar wat deed ze nou? Ze schoot naast.

Nu was het stil. We hadden verloren. Het herfstkampioenschap was verspeeld. Toen wisselde Willie Rocco voor mij.

Hij kon niet meer en ik moedigde de anderen weer aan. Op onze eigen helft onderschepte ik een slechte pass van de tegenstander en schoot de bal strak naar voren. Daar stond Fabi. Hij nam hem met een kopbal door naar Leon. Die had zelfs geen halve vierkante meter ruimte, zo werd hij door de tegenstanders gedekt. Toch wist hij de bal te pakken. Hij draaide om zijn eigen as, werd neergehaald en schoof de bal nog in zijn val in het doel. Zoals Johan Cruijff ook ooit gedaan had.

Twee-twee en nog één minuut. We konden winnen, dat wist ik. En toen de tegenstander de aftrap deed, ging ik er als een speer op af. Ik liep in de pass, kreeg de bal onder controle en stormde naar het doel van de Baarsjes. Maar ik was alleen. Het leek wel of ik omringd was door tegenstanders. Shit! Waar zaten Leon en Fabi? Waarom kwamen Marlon en Max niet met me mee?

Maar die konden niet meer. Ze bleven achter. Ten slotte kon ik niets anders doen dan wat ik vroeger had gedaan, vóór mijn bril... Naar mijn voeten kijken. Zo vocht ik me door de tegenstanders heen. Het leek of ik als een locomotief op de

rails liep. Ik was onhoudbaar. En pas toen ik met bal en al in het doel viel, merkte ik waar ik eigenlijk was.

Maar dat maakte allemaal niets meer uit. We hadden gewonnen! Nog voordat ik me uit het net had losgemaakt, stormden mijn vrienden op me af.

Het was ons gelukt! En als we nu ook Waterland, de laatste tegenstander die nog over was, zouden verslaan werden we kampioen! We reden met het busje naar huis. Op de top van de heuvel voor ons stadion vroeg ik Willie om even te stoppen. Ik vroeg of iedereen uitstapte en we sloegen de armen om elkaars schouders. We stonden daar als een machtige pikzwarte muur en staken ons hoofd in de wind. Toen deden we onze ogen dicht en iedereen deed een wens. Ieder voor zich en heel zachtjes. We wensten allemaal hetzelfde. Ik zweer het je. Ik durf er mijn nieuwe bril voor in het vuur te steken!

Roze

Na de wedstrijd tegen de Baarsjes brak een roze tijd aan. Zo noemde Oma Verschrikkelijk, Vanessa's oma bedoel ik, het. Maar voor mij was deze tijd echt té roze.

De herfstvakantie begon en die gaf ons tot de laatste beslissende wedstrijd een hele week. Een week waarin we van 's morgens vroeg tot 's avonds laat in ons stadion waren. We trainden de hele dag, en dronken in de rust cola met Willie en vertelden onze verhalen aan elkaar.

Ik vertelde over juf Hendriks en mijn vlucht uit school. Over de sigarenboer die zich aan zijn oor liet trekken. En over de taxichauffeur die door rood reed omdat hij zo'n haast had om in Timboektoe te komen.

De anderen vertelden mij over de overwinning tegen de Onoverwinnelijke Winnaars, de training op de wei aan de rivier, het huisarrest en de wedstrijd tegen Ajax. Over de strijd om Camelot en over de graffiti-torens en ook over het verjaardagstoernooi bij Vanessa. Ze vertelden over de roze pumps die Vanessa met haar verjaardag van de jongens had gekregen. Ja, en dat roze achtervolgde ons gewoon.

Langzaam werden we vrienden. Vooral Leon en ik. Maar Fabi zat het blijkbaar nog steeds niet helemaal lekker. Hij trok zich een beetje terug en werd al kwaad als ik Vanessa alleen maar áánkeek. Hij vond haar glimlach blijkbaar net zo spannend als ik. Of nee! Hij vond iets anders veel spannender: de extra brede achterband van haar mountainbike. Want op een morgen verscheen hij grijnzend op zijn fiets, en reed trots om Vanessa heen.

We begrepen er niets van. Fabi had een nieuwe achterband gekocht. Eentje die nog breder was dan die van Vanessa, maar dan roze. Hij had helaas geen andere kleur kunnen krijgen. En hoe lullig het er ook uitzag, het werd een soort epidemie.

In het begin lachten we er nog allemaal om. Maar het duurde nog geen twee dagen voor er nog drie leden van de Wilde Bende met dikke roze achterbanden rondreden. Ten slotte had iedereen zo'n achterband. Iedereen, behalve Leon, Marlon en ik. Ja, en Raban natuurlijk. Maar Raban de held overtrof iedereen. Op de een na laatste dag van de vakantie zoefde Raban op zijn 12-inch kindermountainbike de heuvel af naar de Duivelspot.

We zagen hem aankomen en we zagen ook hoe hij de macht over het stuur verloor. Het voorwiel kwam langzaam omhoog en ging steeds hoger. En toen suisde Raban met een

echte wheelie op een echte zwarte tractorachterband de Duivelspot binnen.

Vanessa kwam niet meer bij van het lachen, maar de anderen keken naar de grond. Ze begrepen eindelijk hoe suf die roze achterbanden waren. Alleen Raban snapte er geen klap van. En hij begreep al helemaal niet waarom we hem bedankten. Maar ook toen hij als enige zijn nieuwe achterband hield, had Raban de held de Wilde Voetbalbende weer eens gered.

Raban de held

Eindelijk!

De hond met zijn leren muts en zijn motorbril staarde me al sinds middernacht aan. Hij zat roerloos op zijn motor. Tegen zessen werden de duiven wakker. Ik hoorde ze boven me, op het dak. Ze zaten druk te koeren of fladderden zenuwachtig rond. Over 27 minuten en 13 seconden liep de wekker pas af.

Ik lag in bed in de Rozenbottelsteeg 6 en stikte van ongeduld. Dampende kippenkak! Dit was de langste nacht in mijn tienjarig bestaan! Eindelijk zag ik het licht van de koplamp op de motor aanspringen. De wijzers achter het glas stonden op zeven uur. De hond gaf gas en de motor brulde als een leeuw.

In de slaapkamer naast de mijne schoot mijn moeder rechtop in bed.

'Zet dat vreselijke ding af!' riep ze terwijl ze hard tegen de muur bonkte.

Maar voor mij klonk het als muziek. Eindelijk ochtend. Want vandaag stond alles op het spel. Vandaag, 23 november, was onze laatste thuiswedstrijd in de Duivelspot. Vandaag speelden we tegen de club die nu nog eerste stond in de competitie. Maar als we hen zouden verslaan, dan werden wíj herfstkampioen! De gedachte alleen al was om gek van te worden!

'Raaah!' riep ik. En nog eens: 'RAAAH!'

Pas toen zette ik mijn hond-op-motor-wekker uit. Ik sprong uit bed en twee minuten later stond ik in volledige

Wilde Bende-outfit voor de lange spiegel van mijn klerenkast. Gitzwart shirt! Feloranje kousen! Het logo van de Wilde Voetbalbende op mijn borst! En op mijn rug schitterde 99, het nummer dat João Ribaldo voor me had gekozen. Hij was de Braziliaanse voetbalgod van Ajax. Hij had dat nummer voor mij gekozen omdat ik zo onberekenbaar ben, zei hij toen. Boven de 99 stond: Raban de held!

'Dampende kippenkak!' fluisterde ik tegen mijn spiegelbeeld. 'We schieten ze vandaag naar de maan! Hoor je? Daarvoor durf ik mijn twee benen in het vuur te steken!'

Ik balde mijn vuisten en de Raban in de spiegel deed hetzelfde.

'Hard als staal en genadeloos wild!' bezwoeren we elkaar. 'Zonder één seconde met de ogen te knipperen!'

Ik griste mijn rugzak met de voetbalschoenen van mijn bureau en deed de deur open. 'In geval van nood ga ik er zelf achteraan! Met mijn zwakkere been!'

'Dat doe je niet,' klonk een stem. Ik draaide me om en staarde naar mijn spiegelbeeld. Die Raban nam nu zijn bril met jampotglazen van zijn neus. Hij maakte de glazen schoon, zette de bril weer op en bekeek me van top tot teen.

'Wat zei je?' vroeg ik en ik wreef verbaasd in mijn ogen.

'Dat doe je niet!' herhaalde de Raban in de spiegel. 'Dat weet je best. Je hebt geen zwakker been.'

Ik werd rood van woede, bijna even rood als mijn haar. Ondanks de bril met jampotglazen werden mijn ogen twee dreigende spleetjes.

'Wat bedoel je daarmee?' fluisterde ik. Mijn spiegelbeeld haalde alleen maar zijn schouders op.

'Wie een zwakker been heeft, moet ook een sterker been hebben. Vind je niet, Raban?'

Ik hapte naar lucht.

'Oké! Oké! Wat jij wilt!' Ik probeerde mijn ijzersterke zelfvertrouwen terug te krijgen. 'Maar hoe kun jij dat weten? Want spiegelbeelden kunnen al helemaal niet voetballen. Echt niet! Knoop dat alsjeblieft in je oren!'

Ik rende de overloop op. Wild en vastbesloten gooide ik de deur van mijn kamer met een klap dicht. Als iemand tegen me had gezegd dat ik voor iets weg wilde lopen, had ik hem uitgelachen.

Hé, jij daar! Voor het geval je het nu nóg niet weet, ik ben het, Raban. Raban de held! En ik ben niet bang. Ik heb Dikke Michiel verslagen. In hoogsteigen persoon. En nog wel met mijn zwakkere been. 'KLABAMM!' klonk het toen. Weet je het weer? Precies! En daarom hoor ik bij de Wilde Voetbalbende als slagroom bij aardbeien.

'Niet waar!' kwaakte mijn spiegelbeeld me achterna. Maar hij hing me nu even de keel uit. Ik luisterde niet meer.

Een held gaat zijn eigen weg

Ik rende de trap af naar de hal. Daar hadden de drie dochters van vriendinnen van mijn moeder me in het voorjaar nog krulspelden in mijn haar gedraaid. Verschrikkelijk! Intussen vochten mijn vrienden van de Wilde Bende wanhopig tegen de winter. Max 'Punter' van Maurik is de man met het hardste schot van de wereld. Hij schoot thuis, in de chique Eikenlaan op nummer 1, met de wereldbol van zijn vader het raam in de woonkamer aan gruzelementen. En tegelijkertijd waren Cynthia, Annemarie en Sabine druk bezig met mijn krullenkapsel. Brakende beren! Wat was dat pijnlijk. Alsof je tijdens een voetbalwedstrijd ineens merkt dat je een roze tutu aanhebt in plaats van je shirt en broek.

Stinkende apenscheten!

Maar dat was nu voor altijd verleden tijd. Niemand zou mij ooit nog een keer zo belachelijk maken!

Ik rukte de voordeur open, sprong op mijn Giant mountainbike met tractorachterband en reed hard de straat op. Ik voelde me lekker. De zonnestralen waren warm en goud op deze ochtend, laat in de zomer.

'Nee! Bij de almachtige flessengeest! Niet hij weer!' riep ik geschrokken. Ik reed regelrecht de fruitkraam in die bij de kruising langs de weg stond.

Tien seconden later dook ik op uit de pruimenbrij. Een overrijpe watermeloen rolde uit een kist en botste in volle

vaart tegen mijn hoofd. Toen zag ik de man van de kraam. Keek hij verbaasd? Néé! Hij kookte van woede. Daarom stak ik hulpeloos mijn armen in de lucht.

'Dampende kippenkak! Ik kon er niets aan doen. Gisteren stond u nog daar!' wees ik.

'Klopt,' bromde de fruitkoopman boos. Hij kwam naar me toe. 'Dat klopt helemaal. Daarginds tegen de muur. Toen reed je m'n kiwi's omver!'

'Ja, maar alleen omdat ik u probeerde te ontwijken. Want éérgisteren stond u aan de overkant!' riep ik. 'Met uw kisten tomaten! Weet u hoe blij mijn moeder was toen ze de vlekken op mijn kleren zag?'

De fruitkoopman luisterde helemaal niet. Voor hem stond het als een paal boven water: ik reed zijn kraam omver, dus ik was schuldig. Als de grijpers van een hijskraan kwamen zijn handen op me af. Hij greep me beet en keek me dreigend aan. Een gezicht zonder een greintje humor en medelijden.

Ik bukte me bliksemsnel en dook tussen de kisten met pruimen door. Ik sprong op mijn fiets en racete ervandoor. Nou ja, ik reed zo hard als je op een fiets met een tractorachterband kunt rijden. De fruitverkoper rende achter me aan. Toen ik de Fazantenhof insloeg, voelde ik zijn hete adem in mijn nek. Twintig meter voor me lag mijn enige redding. Een springschans! Fabi had hem op de stoep gebouwd. Ik reed nog harder. Mijn bovenbenen brandden als vuur. De fruitkoopman strekte zijn grote grijphand uit naar mijn capuchon.

'Alle brakende beren!' vloekte ik. Bij de springschans moest ik mijn fiets bijna lostrekken van de stoep. Minstens de helft van de pruimenbrij zat in het profiel van de banden en dat plakte! Ik reed de springschans op. Met een grote boog vloog ik over de muur. Vier seconden later belandde ik in Fabi's tuin tussen de struiken.

'Wacht maar! Jou krijg ik nog wel!' schreeuwde de fruitkoopman. 'Morgen ga je dit betalen, hoor je?' Met gebalde vuisten liep hij aan de andere kant van de muur.

'Dat zei hij gisteren ook al!' grijnsde Fabi terwijl hij me uit de struiken trok. Hij keek me aan. 'Wees maar voorzichtig als je de volgende keer fruit moet kopen voor je moeder!' Hij trok een wortel uit m'n capuchon en beet erin.

Ik knikte. 'Bedankt, Fabi. Alles is cool!' antwoordde ik. Ik stak mijn hand op.

Fabi keek me aan en grijnsde.

'Zolang je maar wild bent!' riep hij met volle mond. Hij sloeg een high five met me en liep naar zijn eigen mountainbike. 'Kom, we gaan! We hebben vandaag nog meer te doen!'

'Zeker weten, Fabi! Dampende kippenkak! We schieten ze meteen naar de maan!' Ik trok mijn fiets uit de struiken en sprong op mijn zadel.

Fabi keek verbaasd om. 'Je hebt het wel over de jongens die bovenaan staan, Raban!' Hij fronste bezorgd zijn voorhoofd.

'Dat weet ik ook wel!' Ik slikte een brok in mijn keel door. En ik begon te stotteren: 'Of-of, vind je d-dat we niet moeten winnen? Wil je m-misschien verliezen?'

Eindeloos lang keek Fabi me aan. Zo leek het tenminste. Toen riep hij: 'Bij alle trillende krokodillen! Je hebt gelijk. We schieten ze naar de maan!'

Hij schudde glimlachend zijn hoofd. 'Ik voel me al stukken beter. Kom!' riep hij. Hij ratelde verder: 'Weet je, ik bewonder je. Ik heb de hele nacht niet geslapen, Raban. Ik ben als de dood dat we vandaag verliezen!'

Gewapende tong

'...dat we vandaag verliezen!'

Fabi's laatste zin echode maar steeds in mijn hoofd. Ik reed de Duivelspot binnen en ging vol op mijn remmen staan.

De Duivelspot. Zo heette ons stadion, waar Willie een echte lichtinstallatie had aangelegd. Boven de ingang hing een houten schild met: 'Duivelspot!' De grootste heksenketel aller heksenketels. Het stadion van de Wilde Voetbalbende V.W.!

Hier zouden we onze overwinning vieren. We hadden in ons stadion pas één keer verloren. Dat was toen Fabi niet naar de wedstrijd kwam. Hij was bang dat Deniz beter zou zijn dan hij. Uitgerekend tegen de láátsten in de competitie was het verlies koud en hard. En net zo koud en hard waaide nu de novemberwind. Het houten bord boven de poort zwaaide piepend en krakend heen en weer. De hemel erboven had nog het diepe blauw van een dag in de nazomer. Maar bij de horizon stapelden zich onweerswolken op. En die kwamen al uit december, leek het.

Alle leden van de Wilde Bende stonden om me heen. Ze hadden hun mountainbikes bij zich. Vóór ons liep VV Waterland zich warm. Ze ploegden door de Duivelspot. Betongrijs, drie koppen groter dan wij en gewend vrijwel altijd te winnen. Hoe konden we dat elftal ooit verslaan?

Alle kwebbelende kwartels! 'Ik ben als de dood dat we van-

daag verliezen!' Die woorden van Fabi gonsden door mijn hoofd. Opeens herinnerde ik me dat ook ik niet geslapen had.

'Hé! Blijven jullie daar nog lang staan?' riep Willie. Moeizaam stapte hij uit de oude caravan die hij van zijn oom Bertus had gekregen. De caravan stond sinds kort naast het stalletje in de Duivelspot. 'Ik mag hem van de gemeente hier voorlopig laten staan,' had Willie tevreden verteld. 'En dat doe ik dan ook!'

We keken hem aan alsof we net uit ons bed waren

gekropen. Willie schoof de klep van zijn rode honkbalpet uit zijn verkreukte gezicht en krabde op zijn voorhoofd. Hij had zijn streepjespak aan. Dat pak hadden wij hem voor zijn verjaardag gegeven. Onder het pak droeg hij een rood overhemd met witte stippen. Aan zijn voeten glommen slangenleren laarzen. Hij leek op een maffioso uit een Italiaanse film. Maar hij kéék als de beste trainer van de wereld die in de achtste dimensie, de groep van de E-junioren, het kampioenschap wint. Natuurlijk denk je nu 'achtste dimensie'? 'Achtste divisie' zul je bedoelen. Dat bedoel ik natuurlijk ook. Maar Josje had groep 8 ooit de 'Achtste Dimensie' gedoopt. En dat hadden wij erin gehouden.

Maar hoe wilde Willie het kampioenschap winnen? Wij stonden voor hem en staarden hem aan. We waren nog maar net op. We waren met onze gedachten nog lang niet in de Duivelspot. En zeker nog niet in de achtste dimensie.

We waren een kudde schapen die Willie nu als een herdershond het veld op dreef.

'Kom op, mannen! We gaan beginnen. Loop je warm!' riep hij. 'Stel je twee aan twee op bij de doellijn. Als ik "Hup!" roep, rennen jullie weg!'

'Ja, precies! Dat doen we, Willie!' riep ik enthousiast. 'Hebben jullie het gehoord? Kom op met die luie voeten! Leon, jij loopt met Vanessa. Marlon, jij laat Rocco zien hoe hard een Europese hazewind kan rennen.'

Marlon en Rocco keken elkaar aan en draaiden met hun ogen. Maar dat kon me niets schelen. We stonden twee aan twee klaar. Willie hinkte naar de penaltystip en strekte zijn armen uit.

'Hup!'

Marlon en Rocco stormden weg, maar ze vielen allebei over hun eigen benen in de modder. Leon en Vanessa misten de start en sloten weer achter in de rij aan. Maar ik, Raban de held, was sneller dan Fabi de snelste rechtsbuiten ter wereld. Drie meter voor hem tikte ik aan mijn kant op Willies hand af.

'Raah!' riep ik. 'Raahh! Raahh! Raah! Dampende kippenkak! Alles is cool...'

Ik stak mijn hand op naar Fabi voor de high five, maar die reageerde niet. Hij keek zwijgend naar Willie – en Willie keek naar mij.

'Krijg nou wat!' schold ik woedend. 'Wat heb ik tegen je gezegd, Fabi? We schieten ze naar de maan!'

Fabi en de andere leden van de Wilde Bende keken naar me alsof ze mij voor het eerst zagen. Toen ging hun blik naar de zeer machtige tegenstander, VV Waterland. Ik trok een paar van mijn rode haren uit.

'Ja, dat doen we! Het maakt niet uit dat ze eruitzien alsof ze van gewapend beton zijn. Horen jullie? Dampende kippenkak!'

Ik sloeg mijn armen over elkaar en keek hen aan. Langzaam verdween de sluier van onmacht voor hun ogen. Ze keken hoopvoller, vrolijker. Toen herkenden ze mij. De aarzelende glimlach op hun gezichten werd een brede grijns.

'Het maakt niet uit of ze een gewapende tong hebben!' riep Josje, Joeri's kleine broertje van zes. Fabi, die naast Josje stond, stak zijn hand op voor de high five.

'Alles is cool!' zei hij. Ik wilde al antwoorden, maar Josje was me voor.

‘Zolang je maar wild bent!’ riep hij. De anderen vielen hem onmiddellijk bij.

Alleen ik stond daar nog steeds met mijn rechterhand eenzaam in de lucht! Alle dondergoden! Hoorde ik niet meer bij de Wilde Bende? Ik had toch mooi de angst voor de tegenstander weggenomen! Weer blies een ijskoude wind door de Duivelspot. Hij beet in mijn gezicht. Ik rilde. Maar toen sloeg Willie de high five in mijn hand.

‘Goed gedaan, Raban!’ glimlachte hij. En tegen de anderen riep hij: ‘En jullie zijn nu wakker, duidelijk?’

En of dat duidelijk was! Meteen stonden we allemaal op de doellijn. Willie riep: ‘Hup!’ Twee aan twee renden we weg. Marlon en Rocco. Vanessa en Leon maakten stofwolken met hun voeten. Fabi en ik. Fabi was weer sneller dan ik.

Toen deden we het allemaal nog een keer maar dan met onze rug naar Willie toegekeerd. We wachtten tot hij ‘Hup!’ schreeuwde en draaiden ons razendsnel om om weg te sprinten.

Weet je dat dat helemaal niet zo gemakkelijk is? Probeer het maar eens. Je wordt duizelig als je je zo snel moet omdraaien. Fabi en ik verloren ons richtinggevoel helemaal. In plaats van naar Willie toe, liep de een naar rechts en de ander naar links. We botsten met onze buiken tegen elkaar. Kaboem en bèèngg! Daarna gingen we knieheffen. Ik was de beste en snelste van allemaal.

Toen riep Willie ons bij zich.

Wild en niets te verliezen!

We gingen in een halve kring voor Willie in het gras zitten. Hij keek ons een voor een aan.

Eerst was Rocco de tovenaar aan de beurt. Hij was een zoon van een Braziliaanse voetbalheld van Ajax. Hij speelde prachtig voetbal. Het leek of hij met voetbalschoenen aan geboren was. Hij legde zijn arm om de schouders van zijn beste vriend. Dat was Marlon de nummer 10. Marlon was onze spelverdeler en onze hersens op het veld. Hij was de oudere broer van Leon.

Leon, onze aanvoerder en slalomkampioen. Onze topscorer en de jongen-van-de-flitsende-voorzetten. Hij kon met zijn knieholte of zijn oorlel nog een

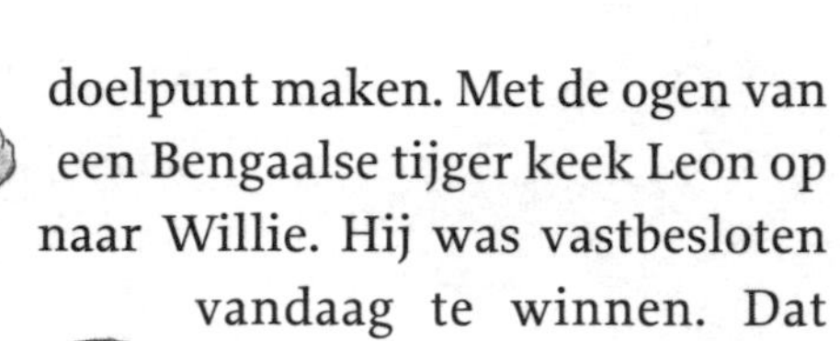

doelpunt maken. Met de ogen van een Bengaalse tijger keek Leon op naar Willie. Hij was vastbesloten vandaag te winnen. Dat bleek uit zijn hele houding. Net als Fabi de snelste rechtsbuiten ter wereld. En Felix de wervelwind, die in de wedstrijd tegen Ajax zijn astma overwon.

Jojo die met de zon danst, was zijn kapotte sandalen aan het repareren. Hij zat door de week altijd in een kinderopvanghuis. Voor voetbalschoenen had zijn moeder geen geld.

Marc de onbedwingbare zat naast Jojo. Hij kneedde zijn nieuwe keeperhandschoenen zacht.

Max 'Punter' van Maurik, de man met het hardste schot ter wereld, schudde zijn benen. Het leken wel sloophamers. Max zei bijna nooit iets. Zelfs aan de telefoon deed hij zijn mond nauwelijks open.

En Vanessa de onverschrokkene, het coolste meisje van de wereld, controleerde nog een keer haar geluksbrengers. Dat waren de roze lakpumps met de strikjes en glinsterende besjes. Die hadden wij haar voor haar verjaardag gegeven. Ze trok ze altijd aan om een strafschop in een doelpunt te veranderen.

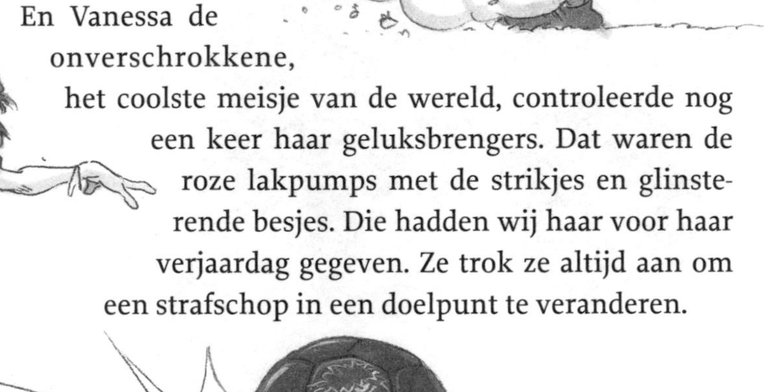

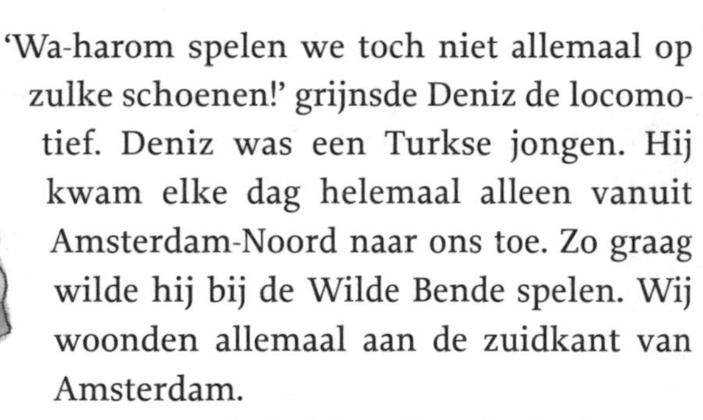

'Wa-harom spelen we toch niet allemaal op zulke schoenen!' grijnsde Deniz de locomotief. Deniz was een Turkse jongen. Hij kwam elke dag helemaal alleen vanuit Amsterdam-Noord naar ons toe. Zo graag wilde hij bij de Wilde Bende spelen. Wij woonden allemaal aan de zuidkant van Amsterdam.

'Dan he-hebben die scha-hatjes van VV Waterland al helemaal geen kans meer!' stotterde hij tevreden.

De kleine, zesjarige Josje, ons geheime wapen, lachte zich dood. Maar heimelijk zocht hij de hand van zijn grotere broer. De hand van Joeri 'Huckleberry' Fort Knox, het eenmans-middenveld.

En ik, Raban de held, zat in gedachten al helemaal in het spel. Ik imiteerde Leon en ik scoorde al mijn zesde doelpunt.

Ja, wij, de Wilde Voetbalbende V.W., waren echt het beste voetbalelftal ter wereld. En daarom werden we vandaag kampioen. In ons eigen stadion, de Duivelspot, werden we vast herfstkampioen. Daar durfde ik mijn twee benen voor in het vuur te steken.

Willie draaide de klep van zijn pet naar achteren. Hij ging op zijn hurken zitten.

'Dit is jullie eerste seizoen,' begon hij heel rustig. 'En jullie spelen in een hogere klasse. De jongens daarginds in het betongrijs zijn één tot twee jaar ouder dan jullie en zes jaar ouder dan Josje.'

Willie keek Josje vriendelijk aan. Het gezicht van de kleine jongen straalde heldhaftig. 'Daarom hoeven jullie vandaag niet te winnen, hoor je? Het is geen schande als jullie verliezen.'

We staarden hem aan.

'Wat klets je nou?' siste ik. 'Wil je dat we het veld op gaan met het plan om te verliezen?'

Leon en Fabi draaiden verontwaardigd met hun ogen.

Ze gaven me gelijk. Felix vroeg verwijtend: 'Hé, Willie, ben je ons motto vergeten? "Geef nooit op", weet je nog?'

Willie knikte.

'Natuurlijk weet ik dat nog. Maar het is de laatste wedstrijd voor de winterstop. Voor vannacht is er al sneeuw voorspeld. Dan is het afgelopen met voetballen, over en uit. En dat zal jullie lelijk tegenvallen. Weten jullie nog hoe het in de voorjaarsvakantie ging?'

'Ja! Natuurlijk weten we dat nog!' riep ik. 'Toen hebben we de winter overleefd!'

'En Max heeft zich voor ons allemaal opgeofferd!' voegde Josje eraan toe.

'Krabbenklauwen en kippenkak,' fluisterde Joeri enthousiast. 'Ja, toen heeft hij de wereldbol door het raam geschopt. Bijna tegen het hoofd van zijn vader.'

Nu moest zelfs Willie grijnzen.

'En toen hebben we Dikke Michiel verslagen. Alle apenscheten! Dat heb ik gedaan. Met mijn zwakkere been. Klabamm! Zo heb ik hem naar de eeuwige jachtvelden geschoten!'

Mijn ogen begonnen te stralen toen Willie naar me knikte. Opeens werd hij ernstig.

'Precies. Dat was helemaal top! Maar toen waren jullie een team. Jullie hadden een gemeenschappelijk doel. Dat moeten jullie nooit vergeten, oké? Ook als jullie vandaag verliezen. Anders wordt het een vreselijke winter voor jullie.'

'Ja, dank je, Willie! Dit is wel genoeg,' zei Leon droog en cool. Hij stond op. Ik sprong ook op.

'Bij alle brakende beren!' riep ik. 'Ze hebben ook wel eens gelijkgespeeld. Zo onverslaanbaar zijn ze helemaal niet. Ze hebben maar drie punten meer dan wij. Als we vandaag winnen, staan we gelijk. Nee, dan staan we bovenaan. Want dan telt het onderling resultaat mee. Hebben jullie dat eindelijk dóór? En dat onderling resultaat, daar gaat het vandaag om!'

'Precies,' zei Marlon.

'Heel goed, Raban,' voegde Rocco eraan toe. 'Dat wilde ik ook net zeggen!'

'Trillende krokodillen! We gaan ervoor!' riep Fabi. Ook hij sprong op. Toen liepen we het veld op.

Daar hadden de betongrijze tegenstanders van VV

Waterland hun posities al ingenomen. Met een spottend glimlachje begroetten ze ons. Als ze ons al zagen. Ze waren gewend om altijd te winnen. Maar dat liet ons koud.

We vormden onze kring. Met de armen om elkaars schouders stonden we daar en staken onze hoofden bij elkaar. Leon keek ons aan. Hij keek ons stuk voor stuk in onze ogen. Toen telde hij vastbesloten tot drie.

'Eén, twéé. Dríé!'

'RAAAHHH!' schreeuwden we allemaal, zó hard dat de grond ervan trilde. Maar toen ik even omkeek naar de reuzen achter me, zag ik er een paar hun schouders ophalen.

'RAAAHHH!' schreeuwden we opnieuw. Toen stoven we uit elkaar. Wild en vastberaden nam iedereen zijn plaats in.

Alle brakende beren!

Marc de onbedwingbare stond natuurlijk in het doel. Vóór het doel waakte Joeri 'Huckleberry' Fort Knox, het eenmansmiddenveld. Rechts en links naast hem stonden Max 'Punter' van Maurik, de man met het hardste schot ter wereld, en Marlon de nummer 10. In de voorhoede speelde Fabi de snelste rechtsbuiten ter wereld. Leon de slalomkampioen, topscorer en de jongen-van-de-flitsende-voorzetten, stond midden en Rocco de tovenaar kwam over links.

Ook onze bank was bezet door de nodige uitstekende spelers. Daar was zelfs Ajax jaloers op. Daar zat Jojo die met de zon danst. En Felix de wervelwind, die iedereen duizelig maakt. Daarnaast zaten Deniz de locomotief en de onverschrokken Vanessa. En daartussen zat Josje met de X van de joker op zijn rug. En ik, Raban de held, de nummer 99, altijd onberekenbaar. Alleen al door mijn blik begonnen onze tegenstanders te beven.

Toen floot Willie en het begon. Als trainer van de thuisclub moest hij scheidsrechter zijn. Max stond naast Leon in de middencirkel en tikte de bal naar hem toe. Drie betongrijze tegenstanders stormden meteen op hem af. Leon, met het oog van een Bengaalse tijger, rende recht op hen af. Drie tegen één... Ze waren een jaar ouder dan hij en drie koppen groter. Dat was zelfs Leon te veel. Trillende krokodillen! Als ik hem was, dan was ik opzij gesprongen en had de bal expres gemist.

Maar Leon was Leon. Hij trapte op de bal en wachtte op de verblufte gezichten van zijn aanvallers. Toen schoof hij de bal vanuit stand met zijn voet naar rechtsvoor. Hij rende erachteraan.

Fabi kwam op de bal af. In een ontploffend vuurwerk van een dubbele pass stormden hij en Leon op het doel van de Waterlanders af.

Maar de betongrijzen waren groter en sneller dan al onze eerdere tegenstanders. Fabi en Leon konden zich niet van hen losmaken. Er kwamen bovendien nog twee verdedigers van Waterland bij. Twee tegen vijf, dat kon niet goed gaan. De speelruimte werd zo krap voor Fabi en Leon dat het leek of ze in een kast speelden. Leon zat gevangen en schoot de bal blind terug. Het leek alsof hij opeens bang was geworden.

'Nee, hè! Wat doe je nou?' Ik sprong op en plukte aan mijn rode krullen. 'Leon! Daar staat toch helemaal niemand!'

De bal rolde inderdaad in alle eenzaamheid over het veld. De rechtsbuiten van Waterland sprintte erheen om hem te halen. Dat was een superkans om te counteren. Hij was er zo. Fabi en Leon stonden er nog steeds bij alsof iemand op de knop 'standbeeld' had gedrukt.

Maar toen schoot Marlon uit het niets tevoorschijn. Alsof hij eerder onzichtbaar leek, zo opeens was hij er. Bij hem vergeleken zagen de betongrijzen er lijkbleek uit. Hij schoot de bal ver naar links.

Daar viste Rocco hem, midden in de sprint, met zijn rechtervoet uit de lucht. Al bij de volgende stap schoot hij met links en gleed de bal het strafschopgebied binnen. Daar stonden Leon en Fabi. Ze waren weer ontwaakt, en hoe! Die doodsblik was maar een truc geweest om VV Waterland om de tuin te leiden. Leon vloog als een torpedo tussen twee van zijn bewakers door. Hij kreeg de bal ergens onder heuphoog-

te te pakken en verlengde Rocco's schot met zijn achterhoofd. De bal draaide over Leons bewakers weg. Spottend streek de bal even langs de vingers van de keeper, die in het niets grepen. Hij stuitte tegen de lat en kwam terug.

'Krijg nou wat! Dat kan toch niet?' Ik sprong op van de reservebank en staarde de anderen aan. 'Zagen jullie dat?'

Natuurlijk hadden ze het gezien. Maar ze zagen nog meer. Terwijl ik naar hen keek, vloog de bal van de lat over de hoofden van Fabi's bewakers. Fabi stond plotseling helemaal vrij. Hij tilde zijn voet op voor een omhaal en donderde de bal rechtsonder in het doel.

'Goal! Goal! Goal!' schreeuwden Vanessa, Jojo, Deniz, Josje, Felix en Willie. Ze sprongen op en sloegen de armen om elkaar heen. Ik draaide me verbijsterd om en wachtte op de vertraagde herhaling.

Fabi, Leon, Rocco en Marlon sloegen de armen om elkaars schouders. Ik begreep wie het doelpunt gemaakt had.

'Oké, Fabi! Dat was pas wild!' schreeuwde ik. Ik begon te klappen.

'Bij alle gillende krokodillen!' riep Fabi terug. 'Dat was de eerste omhaal in mijn leven bij de Wilde Bende! Raban! Heb je hem gezien?'

'Wat? Wat zeg je? Wat? Ja, natuurlijk, de omhaal! Dat was klasse!' riep ik. Fabi straalde. Jojo en Felix draaiden met hun ogen om mijn opmerking.

Daarna hadden onze tegenstanders de aftrap. Het leek wel of ze onder hypnose waren. Ons eerste doelpunt had de grasmat als een tapijt onder hun voeten weggetrokken. Lukraak vielen ze aan. Voor Joeri 'Huckleberry' Fort Knox, het eenmans-middenveld, was het heel moeilijk de bal te pakken te krijgen. Het leek op een spelletje Memory, waarin maar twéé kaartjes hetzelfde zijn. Maar het lukte hem en hij passte naar Marlon.

Marlon schoot vanaf de zijlijn naar rechts, naar Fabi. Die sprintte sneller dan het geluid schuin op het doel van VV Waterland af en schoot. Het schot was even hard als een mokerslag. De bal schoot naar de keeper en die reageerde deze keer prachtig. Hij balde zijn vuisten, boog zijn armen in een hoek en vloog naar rechts. Hij zette zich schrap tegen de bal die eraan kwam suizen en blokkeerde hem. Meteen sprong een betongrijze verdediger naar de bal om hem uit de gevarenzone te schieten.

Maar Leon was sneller. Met de grote teen van zijn rechtervoet schoof hij de bal met een flitsende pass naar links. Daar stond Rocco de tovenaar. Rocco genoot van zijn triomf en schoof de bal doodkalm met de binnenkant van zijn linkervoet veilig in het doel.

'Goal! Goal! Goal!' riepen we. Ik voegde er enthousiast aan toe: 'Zien jullie dat? Wat zei ik? We schieten ze naar de m-m-maan!'

Maar dat laatste woord verkruimelde al op mijn lippen. Willie keek alleen maar op zijn horloge en ik wist genoeg. Het was nog lang geen rust. En daarna kwam er nog een helft. Zo lang hield onze verrassingstactiek geen stand. Op een gegeven moment zouden de betongrijze tegenstanders zich herstellen. Dan stond ons een strijd op leven en dood te wachten. Ja, dat was even zeker als de aanwezigheid van de fruitkraam in onze straat.

VV Waterland stond niet alleen nummer één in de competitie. De club had ook nog een andere reputatie: VV Waterland speelde keihard. Halsbrekend hard. Harder dan Dikke Michiel en zijn Onoverwinnelijke Winnaars.

Het verkeerde been

Bij de volgende aanval stormde Rocco over links. Hij trok zijn Braziliaanse trukendoos open en wist langs vier spelers van VV Waterland te komen. Een dans over de bal in volle sprint, eerst met de rechtervoet eroverheen, dan met de linker, terwijl de bal gewoon rechtdoor rolde. Toen tilde hij hem met zijn voet omhoog, kopte hem over de aanvallers heen en stormde naar de hoekvlag. Daar werd hij opeens door twee verdedigers gestopt, maar hij schermde de bal volledig af. Hij stond met zijn rug naar het veld. Nergens was een opening te zien. Toen tikte hij de bal bliksemsnel met zijn hak terug. De bal schoot tussen de benen van twee tegenstanders door. Zonder nog een fractie van een seconde te aarzelen, draaide Rocco zich om en rende naar de bal. Hij gaf een vlakke pass achter de verdediging, waar Max opdook. Rustig haalde hij uit en knalde toen de bal met het hardste schot ter wereld naar het doel. De keeper van Waterland rekte en strekte zich zo hoog hij maar kon. En hij schreeuwde van woede toen hij merkte dat hij niet bij de bal kon komen. Die knalde tegen de lat. BOEMMM!

'Donder en bliksem! Wat een pech!' zei ik. Ik leed met Max mee. Het werd nog erger, want toen kwam de counter. Over links. Met de snelheid van het licht schoot VV Waterland in de opening die Max hun bood toen hij naar voren liep. Marlon kwam eraan sprinten, maar de rechtsbuiten schoot vanaf de zijlijn meteen naar links. Daar was nu alles open, want Marlon stond nog op rechts. Onze laatste hoop heette Joeri. Joeri 'Huckleberry' Fort Knox. Als een kever die gaat vliegen, zo zette Joeri zijn veren overeind en ging naast de linksbuiten staan voor de strijd. Maar de linksbuiten was drie koppen groter en 20 kilo zwaarder dan Joeri. Met het draaien van zijn lijf maaide hij ons eenmans-middenveld omver en rende met dreunende stappen op het doel af. Marc de onbedwingbare kwam er meteen uit. Hij verkortte de hoek en gooide zich met doodsverachting op de bal. Toen kreeg hij de knie van de tegenstander tegen zijn kin. Zoals een tennisbal tegen een locomotief afketst, zo viel Marc in de modder. Hij zag met een van pijn vertrokken gezicht hoe de bal over de lijn rolde.

'Overtreding! Willie, overtreding!' schreeuwde ik woedend, maar Willie schudde zijn hoofd.

'De jongen van Waterland heeft de bal gespeeld,' zei hij rustig. Hij keurde het doelpunt goed. Toen draafde hij langs de gehavende Joeri naar het midden terug.

Op dat moment sloeg de wedstrijd om en in de resterende 15 minuten was VV Waterland steeds in de aanval. Bij ons verdedigde iedereen. Zelfs Leon en Fabi kwamen in het strafschopgebied terug. En toen die niet meer konden, werden ze gewisseld met Deniz en Felix. Maar ondanks dat viel één minuut voor de rust het doelpunt van Waterland. Het werd twee-twee en in de rust likten we onze wonden.

Joeri, Marc, Max en Leon waren al aardig toegetakeld met grote, blauwe plekken op benen, rug en gezicht. En Waterland had nog niet één overtreding gemaakt. Ze speelden gewoon competitie zoals jongens spelen die een of twee jaar ouder zijn.

Dat beweerde Willie tenminste.

'Geen aanstellerij!' mopperde hij zonder medelijden. 'Zorg maar dat je sneller bent dan zij. Net als in het begin! Dan doen jullie je ook geen pijn!'

We staarden hem aan.

'Dat is niet eerlijk,' zei Deniz, maar Willie snoerde hem meteen de mond.

'Niet eerlijk? Dat snap ik niet. Wat is er oneerlijk aan deze wedstrijd? Dat jullie beter zijn? Beter, hoewel jullie jonger en kleiner zijn? Krijg nou wat! Wat bedoel je met niet eerlijk?'

Op Willies gezicht verscheen een grijns en deze grijns gaf ons weer moed.

'Nou, kom op! Ga naar je plaatsen en probeer de wedstrijd te winnen. Of willen jullie nu al naar huis?'

'Nog één woord en je krijgt de Wilde Bende tussen je ogen!' riep Leon met gebalde vuist. Maar toen grijnsde hij ook. We liepen het veld weer op.

De tweede helft begon.

VV Waterland speelde de bal, maar Leon sprong er al tussen. Hij schoot de bal naar zijn beste vriend Fabi op rechts. Fabi liet zien dat Leon en hij echt over telepathische krachten beschikten. Ze begrepen elkaar feilloos. Fabi speelde de bal strak de ruimte in. Leon spurtte erachteraan en had de bal net iets vóór de tegenstander. Als door een bos van slalomstokken rende hij tussen de betongrijze verdediging door en stond op het punt te schieten. Toen werd hij ongenadig onderuitgehaald.

'Overtreding! Dat is een strafschop!' schreeuwde deze keer niet alleen ik. Iedereen van de Wilde Bende die op de bank zat, sprong op en rende het veld op. Rond Willie ontstond een hele oploop. Leon rolde heen en weer in het gras. Hij kon onmogelijk verder spelen. Hij had te veel pijn. Ondanks dat dreigde VV Waterland met nog grotere hardheid als we die strafschop zouden krijgen. Maar dat maakte ons niets uit en Willie stond al bij de penaltystip.

Eerst verzorgden we Leon. Toen trok Vanessa haar roze lakschoenen aan.

'Ik zal ze een lesje leren!' fluisterde ze tegen Leon die naast haar lag. Ze rende het veld op.

De spelers van VV Waterland lachten haar vierkant uit toen ze aantrad voor de strafschop. Maar dat was Vanessa gewend. Doodkalm nam ze een aanloop van drie passen en schoot met haar rechtervoet naar links. Terwijl de keeper van VV Waterland al in de linkerhoek dook, schoot ze met de buitenkant van haar rechtervoet de bal in de rechterbenedenhoek.

'Drie-twee!' juichten we. We omhelsden en zoenden Vanessa alsof ze helemaal geen meisje was.

'Niet te geloven!' riep ik. 'Die bal sloeg in het doel als een vuist op een neus!'

Dat zagen de spelers van VV Waterland ook wel.

Maar nu floot Willie zo streng als hij maar kon. Ondanks dat werd onze bank een soort ziekenhuisje. Het stak VV Waterland enorm om van ons te verliezen. Verliezen van een stelletje sukkels die een jaar jonger waren. En van een meisje met roze lakschoenen aan! O, wat irriteerde hen dat! Hoe harder ze probeerden de gelijkmaker te schieten, wat niet lukte, hoe woedender ze werden. Ten slotte zaten Leon, Rocco en Max bij ons op de bank. En toen Fabi en Marlon ook nog gewond raakten, moesten Josje en ik het veld op.

Alle duivels in de hel! Daar had ik stiekem op gehoopt. Drie minuten had ik nog om de wedstrijd af te sluiten met vier-twee!

Marc de onbedwingbare gooide de bal ver het veld in.

'Los! Ik heb hem. Ik heb hem!' riep ik vastbesloten en ik kreeg gelijk. De bal kwam met een klap op mijn hoofd

terecht. Ik ging onderuit. Terwijl ik wanhopig naar mijn bril met de jampotglazen zocht, scoorde VV Waterland de gelijkmaker.

'Bij alle brakende beren!' schold ik. 'Dit kón toch niet?' Ik zag dat iedereen op de bank hevig geschrokken was opgesprongen. Zelfs Leon hinkte met veel pijn in het rond, maar hij kon niet spelen.

'Niet bang zijn! Het lukt ons wel!' riep ik. Ik zette mijn bril op mijn neus en sprong op. Ik pakte de bal en liep naar de middencirkel.

Daar schoof ik de bal naar Felix. Die passte naar Vanessa op rechts. Vanessa stormde ervandoor. Ze zag dat Jojo op links zo vrij stond. Ze schoot vanaf de zijlijn op de millimeter nauwkeurig naar Jojo. Die hoefde alleen nog maar zijn voet omhoog te houden om daarmee het winnende doelpunt te maken. Maar eigenlijk wilde ík dit doelpunt maken. Ik wilde mijn fout weer goedmaken. Daarom sprong ik in Vanessa's schot en had de bal een fractie van een seconde eerder dan Jojo. Iedereen keek met grote ogen van ontzetting toe, want... Ik schoot de bal met mijn verkeerde been van twee meter afstand ver over het doel...

'Kippenkak en krabbenklauwen!' vloekte Joeri.

'Bij alle dansende duivels! Wat doe jij nou?' schold Fabi en Leons ogen schoten alleen maar vuur.

Ik wilde iets zeggen, maar mijn stem liet me in de steek. In plaats daarvan rende ik terug. Nog was er niets verloren. Daar durfde ik beide benen voor in het vuur te steken. De keeper van VV Waterland schoot de bal het veld in. Hij kwam regelrecht op mij af. Ik moest hem stoppen. Ja, dat moest ik doen. Wat Joeri ook achter me stond te roepen. Maar ik miste de bal. Hij sprong op. Hij vloog over Joeri heen. Joeri had hem anders met duizend procent zekerheid opgevist. Nu belandde hij voor de voeten van de tegenstander. De centrumspits van het betongrijze elftal stond op de penaltystip en nam dit aanbod maar al te graag aan. Bliksemsnel draaide hij zich om. Toen veegde hij Josje, ons geheime wapen, als een lastige vlieg opzij. En hij schoot de bal in het doel. De bal was absoluut onhoudbaar voor Marc.

KLABAMM!

Drie-vier voor de tegenstander. Het fluitje dat toen klonk betekende het einde van de wedstrijd. We hadden verloren. En in plaats van herfstkampioen te worden, lagen we nu zes niet op te halen punten achter op de nummer één.

Maar dat was niet het ergste. Het ergste was dat dit verlies door mij gekomen was. Door mij alleen. Mijn schuld. Plotseling huiverde ik. Een ijskoude wind floot door de Duivelspot. Boven me hadden de donkergrijze wolken de prachtig blauwe zomerhemel opgeslokt.

Dat was het dan

Lachend fietsten de winnaars van VV Waterland weg bij de Duivelspot. Zij schenen de ijskoude wind niet te voelen. Wij wel. Hij drukte ons in het gras als natte herfstbladeren. We zaten bij elkaar en zeiden geen woord. De flesjes sinas die Willie had uitgedeeld, bleven onaangeroerd. Zwijgend zette hij ze terug in het rekje. Hij had alles gezegd. Hij kon en wilde ons niet verder helpen. Zo was Willie nu eenmaal. Hij was onze trainer, maar hij regelde ons leven niet. Dat moesten we zelf doen. Voor Willie waren we geen onzelfstandige kinderen. Voor hem waren we gevaarlijk en wild.

Alsof we al weg waren, begon hij zijn stalletje dicht te timmeren voor de winter. Dat duurde een vol uur. Daarna nam hij kort afscheid van ons.

'Dat was het voor dit jaar,' zei hij droog. 'Het voetbalseizoen is voorbij.'

We keken hem aan. Het leek wel of hij net had beweerd dat de hemel binnen een paar seconden naar beneden zou komen. Willie hompelde naar zijn caravan en hees zich met moeite de twee treden op. Daar bleef hij even staan. Hij draaide zich nog een keer naar ons om. Een fractie van een seconde dacht ik dat hij zich even wanhopig voelde als wij. Dat kwam misschien door de schaduw van een donkere wolk die langs de hemel trok. Maar Willie kuchte de schaduw weg.

'Eh... als jullie willen, kom dan twee dagen voor de kerst

hierheen. Misschien ligt er sneeuw. Dan kunnen we van de heuvel sleeën en een wilde kerst vieren, mannen!' lachte hij. Toen verdween hij in de caravan.

Wij verroerden intussen geen vin. Het was heel ongezellig en koud. Toch peinsde ik er niet over als eerste weg te gaan. Ik voelde nu al de blikken waarmee ze me na zouden kijken. Wat ze dan zouden denken? 'Daar rijdt Raban de held! Door hem, alleen maar door hém, hebben we verloren!'

Dus bleef ik stug zitten en doorstond uiteindelijk iets wat nog erger was.

Als eerste stond Leon op. Zonder een woord te zeggen liep hij naar zijn fiets, sprong erop en reed weg. Hij werd gevolgd door Marlon en Rocco, Vanessa, Max, Marc, Jojo en Felix, Josje, Deniz en Joeri. Ze gingen allemaal een voor een weg. Ze liepen langs me zonder een woord te zeggen. Snel sprongen ze op hun mountainbikes en reden ervandoor.

Alleen Fabi bleef. Fabi was mijn beste vriend. Maar omgekeerd was ík niet Fabi's beste vriend. Dat was Leon. Maar Fabi en ik bleven altijd wel bij elkaar in de buurt. Vooral toen Deniz was opgedoken en Fabi's vaste plaats als rechtsbuiten bedreigde. Nu stond ook Fabi op en legde een hand op mijn schouder. 'Trek het je niet aan! Het kan iedereen gebeuren!' mompelde hij. Ik geloofde er geen woord van.

'O, ja? En wie bedoel je met "iedereen"? Jezelf? Of wil je soms beweren dat zoiets ook Leon of Marlon of Rocco kan overkomen?'

Fabi zweeg. Hij zweeg omdat hij me wilde ontzien. Maar dat was een vergissing. Zijn zwijgen deed me meer pijn. Waarom zei hij niet gewoon de waarheid? 'Raban, vergeet het. Voetbal is je sport niet. Ga paardrijden of korfballen. Of ga bij een knutselvereniging en maak kerstversieringen. Maar zet de Wilde Bende gewoon uit je hoofd!'

Fabi wist wat er aan de hand was. Hij voelde het gewoon. Daarom liep hij naar zijn fiets, maakte het slot open en reed weg.

Ik wachtte tot hij achter de top van de heuvel verdwenen was. Toen snoot ik mijn neus en veegde de tranen van mijn wangen. Ik poetste mijn bril, stapte op mijn mountainbike en ploeterde naar huis.

Ik voelde me de eenzaamste jongen op de hele wereld. Alsof ik een helm op had die me onzichtbaar maakte en die ik niet meer af kon krijgen. Niemand zou me horen of zien. Wat voelde ik me rot! Ik schrok op uit mijn zelfmedelijden als een pas gekookt ei onder een ijskoude kraan. Er was iemand die me zag, ondanks die onzichtbaar makende helm.

'Nou heb ik je, mannetje!' riep de fruitkoopman aan het

begin van de Rozenbottelsteeg. Hij sprong op me af. Ik begon meteen te racen. Ik had nog niet zó genoeg van de wereld dat ik me aan deze man vrijwillig zou overgeven.

'Dampende kippenkak!' riep ik geschrokken en ik dook op het laatste moment onder de grijpende handen van de koopman door. 'Ja!' riep ik. 'Ja!' En ik zag weer licht aan het einde van de tunnel. 'Wat zei u? Wilt u me pakken? Bij de almachtige flessengeest! Dat lukt u nooit!'

Maar dat bleek een vergissing. De fruitkoopman had zijn kraam afgebroken en alle spullen al in de bak van zijn auto gelegd. Nu sprong hij achter het stuur en scheurde met piepende en rokende banden achter me aan.

'Supersukkel!' vervloekte ik mezelf. 'Hoepel op!' schreeuwde ik over mijn schouder tegen het vrachtwagentje.

Maar hoe raakte ik op een mountainbike met een tractorachterband die auto kwijt? Zoveel geluk bestond er niet op de wereld!

De vrachtwagen maakte een oorverdovend lawaai. De klep van de laadbak sprong open. De fruitkoopman had hem nog niet vergrendeld. Door de vliegende start van de auto belandde de halve inhoud van de laadbak met veel gekletter op straat.

Nog een keer piepten en walmden de banden. De fruitkoopman had zo hard geremd dat de motor afsloeg. Het vrachtwagentje bokte en maakte een paar rare sprongen. Toen stond het dwars op de straat. Terwijl ik de oprit van Rozenbottelsteeg 6 opreed en in veiligheid was, sprong de man uit de vrachtwagen, keek woedend om zich heen en riep toen: 'Pas jij maar goed op, mannetje. Dat raad ik je aan. Pas op! Als ik je ooit te pakken krijg, dan zwaait er wat, dat verzeker ik je!'

Brillenkop en spiegelspook

Die avond ging ik heel vroeg naar bed. Hoewel het zaterdag was en ik langer mocht opblijven, kroop ik vroeg onder mijn dekbed. Mijn moeder vond het best. Ze merkte het helemaal niet. Ze had het druk. Zelfs als ze tijd had gehad, had ze me niet begrepen. Voor haar was voetbal hetzelfde als voor mij een knippatroon uit een modetijdschrift. Ik durf mijn bril erom te verwedden dat mijn moeder geen flauw idee had wat voor dag het voor mij was geweest.

Wij, de jongens van de Wilde Voetbalbende, hadden van-

daag verloren en lagen nu zes punten achter op de nummer één. Dat was niet meer op te halen. Daarom was ook het seizoenskampioenschap verspeeld en daarmee het grote doel van ons elftal.

Willie had ons daarvoor gewaarschuwd. Nog voor de wedstrijd had hij gezegd dat het zonder een gemeenschappelijk doel een verschrikkelijke winter voor ons zou worden.

Ik lag daar en staarde uit het raam. De wolken werden donkergrijs. Ze zakten op de daken van de stad, zó zwaar waren ze. Toen begon het te sneeuwen. Dikke, vette vlokken verstikten het laatste restje herfst. Willie kreeg gelijk. Het was verschrikkelijk. Daarom zette ik mijn bril af. Ik voelde me blind. Maar dit was veel beter. Nu was ik echt alleen. En nu herinnerde ik me weer precies wat Willie ook nog had gezegd: 'Het is geen schande als jullie vandaag verliezen. Dit is jullie eerste seizoen. En jullie spelen in een hogere klasse. De jongens daarginds in het betongrijs zijn één tot twee jaar ouder dan jullie en zes jaar ouder dan Josje.'

Ja, dat had Willie gezegd. Dus waar maakte ik me eigenlijk zorgen om? Er was niets aan de hand!

Toen hoorde ik Leon, alsof hij in mijn kamer naast mijn bed stond. 'Willie, dit is wel genoeg!' zei hij.

Ik hoorde mezelf vragen: 'Wat klets je nou? Wil je dat we het veld op gaan met het plan te gaan verliezen?'

Ik spitste mijn oren. Ook deze stem kwam duidelijk uit de kamer.

'Ja, dat zei je!' zei de stem plagend. 'Voor de wedstrijd. Toen je er nog van droomde doelpunten te schieten met omhalen!'

Ik vond mijn bril op de tast en zette hem op. Ik wist meteen waar ik moest kijken. Ik stond niet voor de spiegel in mijn klerenkast, maar ik kon daar wel mijn eigen spiegelbeeld zien en dat lag helemaal niet in bed. Dat zat in kleer-

makerszit op de vloer en keek me opstandig aan. Ik wreef met een vinger onder mijn bril voorzichtig mijn ogen uit. Was ik nu al gek? Zag ik nu al spoken?

'Nee hoor, je bent niet gek!' grijnsde de Raban in de spiegel zo cool als ik in mijn dapperste dromen nog niet was. 'Je bent gewoon alleen maar verschrikkelijk slecht! Je weet net zo weinig van voetballen als een loden eend van vliegen!'

Mijn adem stokte en mijn hart deed pijn alsof het door een gloeiende lans doorboord werd.

'Maar dat heb ik je al gezegd.' De Raban in de spiegel zuchtte. 'En ik heb geprobeerd je te beschermen. Tegen de nederlaag, de schande en tegen het feit dat je al je vrienden verliest.'

Hij keek me medelijdend aan.

'Weet je, Raban, ik kan er niets aan doen dat je liever je bril afzet, dan dat je de waarheid ziet.'

'Ja, je hebt gelijk!' bromde ik. 'En daar kun jij nu eenmaal niets aan doen! Ciao, spiegelspook. En slaap lekker!'

Zo gezegd, zo gedaan. Ik trok de bril van mijn neus. Ik kruiste mijn armen over mijn borst. Tot mijn tevredenheid zag ik de hele wereld achter een soort raam van matglas verdwijnen. Zo, die ben ik kwijt! dacht ik, maar toen meldde de Raban in de spiegel zich alweer: 'Hé, kun je wel slapen?'

'Laat me met rust! Ik zie je toch niet,' snoerde ik hem de mond. Ik lag op mijn rug en staarde naar het plafond.

'Dat geloof ik niet,' spotte hij. 'Kijk toch eens deze kant op!'

'Ik pieker er niet over,' deed ik stoer.

'Kijk nou maar!' smeekte het spiegelspook nu. 'Verder dan twee meter zie je toch niets scherp. En de klerenkast staat drie meter vijfenzeventig ver van je bed.'

Ik zweeg en verroerde me niet. Ik wilde die rotjongen niet zien.

'Toe nou, Raban! Je komt toch niet van me af. Of je nu kijkt of niet. Dus, wat wordt het? Ben je laf of dapper?'

Dat was te veel! Dit ging echt veel te ver!

'Dat neem je terug!'

Ik ging rechtop zitten in mijn Spiderman-pyjama en staarde naar de klerenkast. 'Ik ben niet laf, hoor je! Ik ben Raban. Raban de, de, de...?'

'...wat?' vroeg het spiegelspook. Wat ik toen zag, kon ik nauwelijks geloven. Overal, waarheen ik ook keek, verdween de wereld achter wazige flarden mist, maar de spiegel met dat gehate spook zweefde superscherp in deze mistflarden rond.

'Raban, wat is er?' vroeg de Raban in de spiegel nog een keer.

'Wat wil je van me, goedkope flessengeest?' siste ik terug in plaats van een antwoord te geven.

Die zat. In elk geval zei de jongen in de spiegel niets meer. Hij werd heel ernstig. Of liever gezegd: hij keek verlegen naar zijn voeten.

'Ha!' riep ik toen. 'Nu hou je je kop. Dat doet me goed, man! Nu moet je 'm alleen nog smeren, hoor je? Waarom hoepel je niet op? Ga solliciteren als invalspook op de kermis!'

Ik zat daar in mijn Spiderman-pyjama. Ik hield mijn vuisten gebald en ik trilde van woede. Zelfs de matras trilde mee. Raban in de spiegel keek op en op datzelfde ogenblik had hij geen Spiderman-pyjama meer aan, maar een streepjespak zoals Willie.

'Ik ben geen spook,' zei hij zo oprecht mogelijk. 'En jij bent Spiderman niet. Dat weet je best.'

Ik slikte. Ik voelde tranen op m'n wangen die ik direct wegveegde. Shit! Maar hij had gelijk.

'En jij bent voor mij ook geen lid van de Wilde Bende. Als jij een wedstrijd meespeelt, heeft de tegenstander een man meer op het veld. Dat had Leon al voor de wedstrijd tegen Dikke Michiel gezegd. Daarom heeft hij jou uit het elftal gegooid. Weet je nog?'

En of ik het wist! Die vreselijke nachtmerrienacht! Wat wilde die gek?

'Dat zal ik je vertellen,' antwoordde hij op mijn gedachten. Hij leek nu een vriendelijke beschermengel die ik alles kon vragen. 'Raban. Stel je toch eens voor dat je niet was teruggegaan. Ik bedoel toen, in de rust van de wedstrijd tegen de Onoverwinnelijke Winnaars. Wat dacht je? Zou de Wilde Bende dan vandaag verloren hebben? Nee, dus. Dat weet jij net zo goed als ik. En daarom is het duidelijk: het is jouw schuld dat hun droom van het kampioenschap niet meer bestaat. Herinner je je hoe jullie een keer op de top van de heuvel bij de Duivelspot stonden? Dat was na de een na laatste wedstrijd, na de overwinning van Deniz en Fabi tegen de Baarsjes. Jullie hadden de armen om elkaars schouders geslagen. En jullie keken naar de zonsondergang. Weet je het nog? Dat Leon tot drie telde. Een. Twee. Drie. Zo was het toch? En toen knepen jullie allemaal je ogen dicht. En zonder dat het afgesproken was, wensten jullie allemaal hetzelfde: dat jullie kampioen zouden worden!'

De Raban in de spiegel keek me aan. Alsof hij ervan genoot wachtte hij tot de tranen opnieuw als duiveneieren uit mijn ogen begonnen te rollen.

'De Wilde Bende zijn mijn vrienden,' begon ik zachtjes en hees. Het was een laatste poging.

'Ik weet niet over welke vriendschap je het hebt,' snoerde hij mij de mond. 'Was het schot dat je Jojo afpikte misschien een vriendendienst? Nee. De Wilde Bende wilde vandaag winnen. Ze moesten winnen om de winter goed door te komen. En nu worden ze erdoor verstikt. Kom op, kijk uit het raam en geef antwoord op mijn enige vraag: denk je dat de Wilde Bende volgend voorjaar nog bestaat?'

Ik liep naar het raam en keek. Maar ik had mijn bril niet op en zag niet veel. Alleen maar flarden mist. Toen ik weer naar de klerenkast keek, was de spiegel verdwenen. En daarmee ook mijn spiegelbeeld.

Ik was alleen.

November, december

De laatste week van november viel er koude, natte sneeuw. Onafgebroken vielen plakkerige vlokken op de aarde en beperkten het zicht tot vijf meter. De straten liepen schuimend over. Vuile, klodderige sneeuw borrelde eruit als het schuim uit een te vol bad.

Op school spraken we nauwelijks met elkaar. Dat wil zeggen, de anderen praatten wel onderling. Maar altijd zachtjes en met hun rug naar mij toe. Dat dacht ik tenminste. En toen ik hun vroeg of ze na school tijd voor me hadden, schudden ze allemaal hun hoofd.

Leon had drumles, Marlon moest saxofoon oefenen. Fabi ging naar een ijshockeywedstrijd en Rocco met zijn vader naar Ajax voor de training. Max wilde zijn voetbalverzameling sorteren. Vanessa had oma Verschrikkelijk op bezoek. Ze wilde met haar een bokswedstrijd voor zwaargewichten op de tv zien. Josje en Joeri gingen met hun vader naar de film.

Ik geloofde er geen woord van. Dit klonk als regelrechte smoesjes. Ik vond het afschuwelijk! Nou vráág ik je. Wie doet elke dag altijd hetzelfde? Zelfs Ajax heeft wel eens vrij. Elke dag bioscoop kan bijna niemand betalen en bij oma Verschrikkelijk hou je het ook niet eindeloos uit.

Maar ik durfde het niet te zeggen. Na het gesprek met het spiegelspook was ik bang voor de waarheid. Ik wilde niet horen dat mijn vrienden me niet mochten. Dat ze nog liever alleen waren, dan bij mij. Daarom vroeg ik ze niets meer. Ik had geen keus. Jojo, Marc en Deniz zaten op andere scholen. Ik hoorde nooit iets van hen. En Felix was al wekenlang ziek.

Ik lag op de vloer van mijn kamer en staarde naar het plafond. Het was half december en buiten was het ijskoud. Het had dagenlang gesneeuwd en er lag een dik pak bevroren sneeuw. Nu was de hemel strakblauw.

'Felix! Ja, natuurlijk!' schoot het opeens door mijn hoofd. Ik kon hem gaan opzoeken! Hij had vast geen betere plannen. In elk geval zou hij me niet uit de weg kunnen gaan. Hij lag in bed en was ziek. Hij zou naar me moeten luisteren. En dan zou hij het begrijpen. Dat wist ik zeker. Hij zou snappen dat ik lid van de Wilde Bende was en wilde blijven. En ook dat ik wilde dat de Wilde Bende komend jaar nog zou bestaan.

Een paar minuten later rende ik naar buiten. Ik sprong op mijn fiets die op de oprit stond en racete de straat op.

In de bocht slipte ik op de bevroren sneeuw. Maar ik was goed. Ik redde het de bocht door. En ik scheurde recht op de kruising af.

Almachtige flessengeest! schoot het door mijn hoofd: de fruitkraam. Waar zou hij vandaag staan?

In paniek keek ik rond. Ik was er helemaal op voorbereid dat ik elke seconde in een kist met dadels of noten zou belanden. Maar er was nergens een fruitkraam of fruitkoopman te zien.

Ik kon het niet geloven. Zelfs toen ik bij de kruising moest afslaan, keek ik nog een keer om. Nee! Hij was er echt niet! Dit was geluk hebben! Ik ging harder rijden. Nog in de bocht zette ik een tandje bij en keek opgelucht voor me uit.

'Stomme superpechvogel! Dus toch!' schreeuwde ik tegen mezelf. Ik trapte meteen op de rem.

Recht voor me was opeens de kraam van de fruithandelaar uit de grond gerezen. Hoewel het profiel van mijn tractor-achterband in de bevroren sneeuw drukte, vlogen de kisten met noten, mandarijnen en dadels met de snelheid van het licht op me af.

Boemmm! Páts! Klabamm! Toen stond de wereld op zijn kop, wervelde driemaal om me heen en schoot me regelrecht de hel in. Plakkerig en bruin was het daar, tot ik de dadels uit mijn gezicht had geveegd. Maar dat had ik beter niet kunnen doen, want toen zag ik hem. Zijn hoofd verduisterde de hemel. Toen ik mijn bril wat hoger op mijn neus schoof, zag ik een woedend gezicht met een ijskoude grijns.

'Ik heb toch gezegd dat ik je zou krijgen!' zei hij met zo'n toonloze stem, dat mijn ruggengraat bevroor.

Toen pakte hij met zijn grijpgrage vingers mijn oorlelletje

vast en trok me daaraan tussen zijn waar uit.

'En nu gaan we samen naar je moeder!'

'Brakende beren en stinkende apenscheten!' schold ik. 'Waarom? Ik kan er toch niets aan doen dat u elke dag ergens anders staat! En dat u vergeet de laadklep van uw vrachtwagen te vergrendelen?'

Maar mijn moeder wist hij beter te overtuigen. Zonder een woord te zeggen stond ze op de overloop en keek op ons neer in de hal. De fruithandelaar vertelde haar alles. Terwijl hij mijn oorlelletje uitrekte tot een lengte van één meter veertig, vertelde hij haar het lot van elke kiwi, sinaasappel, mandarijn en dadel. Daarna pakte mijn moeder haar vulpen, vulde een cheque in en kwam de trap af. Ik moest drie keer achter elkaar 'het spijt me, meneer' zeggen voor hij m'n oorlel losliet. Toen sprak mijn moeder mijn doodvonnis: 'Vanaf nu wordt alles heel anders!'

Nadat de fruitkoopman zijn cheque had gekregen en weg was, moest ik opbellen.

'Hallo... eh... ja... met Raban. Ik bedoel Rabanovich,' bracht ik er met grote moeite uit. Ik keek mijn moeder nog eens smekend aan. Dit kon ze niet menen. Maar ze was allang de trap weer op. Ze wilde weer aan het werk. Haar blik was er een van pure onbarmhartigheid.

'Oké! Oké!' haastte ik me te zeggen en ik ging door met mijn telefoongesprek: 'Rabarbertje dan. Voor mijn part. Doe maar wat jullie willen. De hoofdzaak is dat jullie langskomen! Ja, alle drie! Ik ben namelijk alleen. Dampende kippenkak! En ik wil heel graag met jullie spelen.'

Het bezoek aan Felix ging dus niet door. Ik was wanhopig en die wanhoop maakte me blind. Alsof ik mijn bril met jampotglazen voor altijd kwijt was.

Drie dagen later moest ik verplicht met de drie dochters

van mijn moeders vriendinnen schaatsen. De poedelharige monsters hadden pastelkleurige teddyjasjes aan en jurken met linten, kantjes en strikjes. Ik moest goed bij hen passen. Daarom hadden ze m'n haar geföhnd en getoupeerd én me een paar pluchen oorwarmers opgezet.

De fruitkoopman stond krom van het lachen toen ik langs zijn stalletje kwam. Toen drong het pas goed tot me door: Raban de held bestond niet meer. Hij had misschien wel nooit bestaan. Raban de held was pure opschepperij.

Spiderman

De laatste schooldag voor de kerstvakantie was treurig en stil. De twee vrije weken waren net zo overbodig en onbelangrijk als een vierkante bal. En niemand praatte over Kerstmis. Wat voor wilde wensen we ook hadden gehad. Ze waren waardeloos geworden. Kun je je dat voorstellen? Het gevoel alsof alle versierde kerstbomen op de hele wereld tegelijk omvallen en verdrogen? Rinkelende schervenhopen! En opeens begreep ik het allemaal.

Ik had een zondvloed aan tranen gehuild. Maar het ging niet alleen slecht met *míj*. Ik zag het aan alle leden van de Wilde Bende: iedereen trok zich een beetje terug. Fabi vroeg Leon na school met hem mee naar huis te gaan. Maar Leon wilde niet. En Fabi werd heel stil en afstandelijk toen Leon hem dezelfde vraag stelde. Fabi wilde ook niet met Leon mee naar huis.

Marlon en Rocco kregen zelfs ruzie. Ze verweten elkaar dat de een altijd wegliep als de ander eraan kwam. En de andere spelers van de Wilde Bende vroegen elkaar al niet eens meer mee naar huis.

Toen zag ik Max. Max 'Punter' van Maurik, de man met het hardste schot ter wereld. Het leek echter of de arme jongen in een harnas liep, waarvan de scharnieren verroest waren. Hij was een man van actie en niet van praten. Hij zei nauwelijks ooit iets en hield zelfs aan de telefoon vaak zijn mond. Hij wilde nu de hele dag al iets zeggen. Hij liep ongeduldig heen en weer, maar het lukte hem niet. Toen hield ik het niet meer en verbrak het duistere zwijgen.

'Zo kan het niet langer!' flapte ik er opeens uit. De anderen staarden me aan.

Ze zaten al op hun mountainbikes en zouden zo in alle richtingen verdwijnen. Maar ik stond bij de uitgang van het fietsenhok en versperde hun de weg.

'Ja, dampende kippenkak en stinkende apenscheten! We moeten iets doen. Anders bestaan we straks niet meer!'

'O, nee? En wát moeten we dan wel doen?' vroeg Leon spottend. 'Ik denk dat je al te veel gedaan hebt.'

Die zat. Hij trof me recht in mijn hart. En dat was terecht. Jojo de bal afpakken was al erg genoeg. Maar hem dan ook nog op minder dan twee meter afstand van het doel over de lat schieten! Dat was stommer dan stom. Dat schreeuwde om straf en meer: om levenslange verbanning! Maar dat kon me op dat ogenblik geen klap schelen.

'Willie heeft het gezegd,' zei ik. 'En het spook in de spiegel ook! Zo komen we nooit de winter door!'

Nu was het doodstil. Zelfs Josje, Joeri's jongere broertje van zes, trok rimpels in zijn voorhoofd als een oude man.

'Willie en wie nog meer?' vroeg hij.

'Mijn spiegelbeeld!' legde ik uit. Ik was ervan overtuigd dat dit de normaalste zaak van de wereld was. 'Zoiets als bij Felix. Die praat toch ook met een revolverheld?'

'Ja, maar die revolverheld is zijn moeder!' antwoordde Marlon droog.

'Nou en! Wat is het verschil? Het spiegelbeeld ben ik. Of nee, het is mijn geest! Ik had mijn Spiderman-pyjama aan, maar het spiegelspook...'

'Spiderman-pyjama?' herhaalde Vanessa ongelovig. 'Heb jij echt een Spiderman-pyjama?'

'Ja!' Ik grijnsde trots, want ik dacht dat ze het interessant vond. Ik hoorde de spot in haar stem niet. 'En nog wel de echte! Uit Amerika! Maar mijn spiegelbeeld had zo'n streepjespak aan als Willie heeft. Snap je? Vanessa, daarom was het mijn geest!'

Ik keek haar vol verwachting aan. Als Vanessa me zou geloven, geloofden ze me allemaal. Ze kauwde op haar onderlip en zocht de blik van Leon, Marlon en Fabi. Toen zei ze zacht maar vastberaden: 'Ik geloof dat ik hier heel snel weg moet!'

Ze kwam op haar mountainbike regelrecht op me af. Op het laatste ogenblik moest ik opzij springen. De anderen raceten er ook vandoor. En toen ze dachten dat ze buiten gehoorsafstand waren, barstten ze in schaterlachen uit. Ze vielen bijna van hun fiets. Waar ze zo om lachten, blies de wind me in flarden toe.

'Hoorden jullie dat?'

'Bij Raban thuis spookt het!'

'Zeg alsjeblieft dat het een grap is!'

'Een grap? Hij draagt een Spiderman-pyjama. Die is bloedserieus.'

'Krabbenklauwen en kippenkak! Ik moet naar huis. Ik trek een Batman-cape aan en ga voor de wasmachine zitten.'

'Dan ga ik mee. Misschien waggelen er zelfs vampiers uit de wasmachine!'

Toen werd het stil. Of ik was doof geworden van schaamte en ellende, óf ze waren ver genoeg weg. Langzaam begon ik te lopen. Na de laatste botsing met de fruitkoopman mocht ik niet meer op mijn mountainbike. De stilte was ijzig. Om me heen smolt de sneeuw. Mijn voeten zakten tot aan mijn enkels in de prut.

Thuis wachtte me een verrassing. Daar vond ik Willies uitnodiging.

Zwart met bloedrode spetters

De brief stond op tafel tegen een vaas. Mijn moeder had hem met opzet zo neergezet. Dat deed ze anders nooit. Zulke brieven nam ze vroeger niet serieus.

En zeker geen brieven in een gitzwarte envelop.

Gitzwart met het logo van de Wilde Bende erop. Iemand had de monsterkop een vuurrode kerstmannenmuts opgezet. Een vage glimlach kriebelde rond mijn mond. Ik maakte de envelop open. Er zat een opgevouwen vel zwart papier in. Ik vouwde het open. Daar stond in spookachtig rood handschrift met veel knalrode spetters als druppels bloed eromheen:

Mijn glimlach verdween als sneeuw voor de zon. Mijn gezicht verstarde tot een grimmig masker.

Ze waren bij Willie geweest. Ze hadden hem alles verteld. Van het spiegelspook en de Spiderman-pyjama. Ze hadden zich samen rot gelachen. En nu hield Willie me ook nog voor de gek. Dat bleek uit alles: het spookachtige handschrift, de rode inkt en de bloedrode spetters eromheen. Het 'Oeaah' aan het einde. En dan de uitnodiging zelf. Waar kon je nu nog sleeën? De sneeuw was gesmolten en er lag overal alleen maar vieze prut.

Ik werd woedend. Het gevoel kwam van heel diep naar boven. Het was een zachte, maar enorme woede. Door die woede wilde ik voorgoed een punt zetten achter mijn leven als lid van de Wilde Bende. Langzaam pakte ik de uitnodiging op. Ik wilde hem net verscheuren, toen mijn moeder de kamer binnenkwam. 'Je kunt de fiets pakken!' zei ze op strenge toon.

'Hè, i-ik m-mag toch niet fietsen?' stotterde ik. Maar mijn

moeder scheen zich dat niet meer te herinneren.

'Je kunt je fiets pakken, zei ik toch. Of spreek ik soms Chinees?'

'Maar ik heb al een afspraak met Cynthia, Annemarie en Sabine. Ze willen me hun nieuwe dans laten zien.'

'Dat weet ik en ik heb hen afgebeld!' Hiermee pakte mijn moeder mij de laatste kans af om aan een nieuwe afgang te ontkomen. De Wilde Bende wilde maar al te graag dat ik de uitnodiging zou aannemen. Ze zouden op de heuveltop bij de Duivelspot staan en zich doodlachen als ik met mijn slee verscheen. Ik zag het voor me, alsof het al gebeurd was: 'Hé, Raban! Geweldig dat je er bent!' zouden ze roepen. 'Laat ons nog eens zien hoe goed je bent op de slee.'

En in mijn fantasie deed ik dat ook nog. Ik gooide mijn plastic rodelsleetje op de grond, ging erop zitten en gleed van de heuvel af. Maar, en dat was niet grappig: de sneeuw was gesmolten en al na een paar meter bleef mijn slee met een harde ruk steken. Ik viel voorover in de natte, kledderige troep. Ja, zo zou het precies gaan. Hottentottennachtmerrienacht!

'Wat is er? Waar wacht je nog op?' haalde mijn moeder me uit mijn gedachten in de hal van ons huis terug. 'Ik doe dit niet graag, hoor! Maar die Willie heeft gebeld. Hij heeft wel een halfuur lang staan smeken. Zo belangrijk is het voor hem dat je komt.'

Even was ik verbaasd. Toen sprong het glimlachje voor de tweede keer rond mijn mond.

'Waarom zei je dat dan niet meteen?' riep ik zenuwachtig en enthousiast tegelijk. Maar het was geen vraag waarop ik een antwoord verwachtte.

Ik liep naar mijn kamer en hing mijn plastic rodelslee als een Noormannenschild om mijn schouders. Het volgende ogenblik sloeg ik de voordeur al achter me dicht. Ik pakte mijn fiets, sprong er al rennend op en racete de oprit af, de straat op.

'Almachtige flessengeest!' schoot me op hetzelfde moment door mijn hoofd. Een koude rilling gleed langs mijn ruggengraat naar beneden. Ik was de fruitkoopman vergeten!

Mijn paniek was zo groot dat mijn hersens met enige duizeligheid te kampen kregen. Als in slow motion keek ik zoekend om me heen. Binnen een fractie van een seconde zou het gaan kraken en rammelen. Dan zou ik vast in een kist appels belanden. PATSSS! en KLABAMM!

Nee, dat mocht niet! Ik trapte op de rem. Mijn tractorachterband blokkeerde.

Ik vloog over het stuur, maakte een koprol en belandde op mijn kont. Buiten adem zat ik daar en keek om me heen. Maar de straat was leeg. Fruitkraam, koopman en vrachtwagentje waren in rook opgegaan, alsof ze er nooit geweest waren. Ze waren er niet meer!

'Driemaal geoliede uilendrol!' riep ik dolblij en verbaasd. 'Zoveel geluk bestaat toch niet?'

Toen sprong ik op. Ik pakte mijn fiets en merkte nauwelijks dat het stuur scheef stond. Ik reed en voelde me gelukkig. Ik maakte de bocht naar links. Voor me lag de heuvel. En daarachter de Duivelspot, de grootste heksenketel aller heksenketels. Daar hoorde ik een geheim dat je niet zult geloven. Daar durf ik mijn voeten voor in het vuur te steken.

Warme wijn en vuurvliegjes

Hoe verder ik de heuvel opreed, des te modderiger de weg werd. Zonder mijn brede achterband was het me nooit gelukt. Hij ploeterde en klauwde zich moeizaam de heuvel op. Ik was bijna op de top. En kort daarop in de Duivelspot. Dan zag ik mijn vrienden, de andere leden van de Wilde Bende. We zouden samen een kerstgevoel hebben bij een wild kerst-sleefeest.

Met die gedachte sprong ik over de top van de heuvel, remde cool af en kwam dwars op de weg tot stilstand. Raaah! Onder me lag de Duivelspot, maar ik zag er niemand. Er waren geen andere leden van de Wilde Bende. En op de helling naar beneden lag geen vlokje sneeuw. Ze hadden me erin geluisd! Zelfs Willie zat in het complot en had met mijn moeder gebeld. En ik was zo stom om het allemaal te geloven! Sleeën met deze dooi? Ik had ook niet beter verdiend. Ik vocht tegen mijn tranen. Ik was nu eenmaal zoals ik was. Ik kon mezelf niet veranderen. En zelfs dán zou ik vandaag gekomen zijn. Als ze me hadden wijsgemaakt dat ik tot voetballer van het jaar was gekozen, had ik het geloofd. Dampende kippenkak! Ik was zo alleen... En er was niemand die ik meer miste dan mijn vrienden van de Wilde Bende, het beste voetbalelftal van de wereld.

'En ik dacht net dat er niemand meer zou komen,' zei een stem achter me.

Ik draaide me om en zag Willie.

'Waar zijn de anderen?' vroeg ik en ik rekende er vast op dat ze het volgende ogenblik lachend en schreeuwend uit hun schuilplaats tevoorschijn zouden springen. Maar de top van de heuvel was kaal. Daar kon je je nergens verstoppen.

'Dat weet jij vast beter dan ik,' antwoordde Willie. Hij zat op zijn slee in de modder en keek me heel oprecht aan. Ik fronste mijn wenkbrauwen. Ik wilde Willie niet geloven.

'Zeg niet dat je wilde sleeën!' Ik gromde tegen hem als een babywolf die voor het eerst zijn spiegelbeeld ziet. 'Ik kan mezelf wel voor de gek houden. Daar heb ik jou niet voor nodig!'

'Nou, eh... tja, eh... die sneeuw wilde vandaag niet echt, denk ik,' stamelde Willie. 'Maar wat dacht je van een lekkere slok warme wijn? Daar heb ik zin in!'

Hij gaf me een samenzweerderige knipoog.

'Willie!' riep ik geschrokken. 'Ik ben tien jaar en hoor bij de Wilde Bende. Dat is bijna zoiets als een profvoetballer. Dan betekent alcohol vergif!'

'Och ja, sorry. Het spijt me!' verontschuldigde Willie zich. 'En wat zou je denken van een Wilde Bende Punch, geproefd en goedgekeurd door de FIFA en de KNVB?'

Ik merkte dat ik moest lachen. En Willie lachte terug. Toen stond hij op en samen liepen we de heuvel af naar de Duivelspot. Ik liep naast mijn mountainbike en droeg mijn plastic rodelslee op mijn rug.

Willie liep in een warm jack naast me en zijn rood-wit gestreepte sjaal hing nonchalant teruggeslagen over zijn schouder. We waren een raar koppel, maar desondanks was ik apetrots. Willie had me uitgenodigd. Bij hem thuis! In de caravan achter zijn stalletje. Dat had hij nog nooit met een Wilde Bendelid gedaan. Ik vond het een grote eer.

De caravan was vanbinnen veel groter dan ik verwachtte. En het glinsterde en fonkelde er als in een schatkamer. Aan de wanden waren kastjes opgehangen met schuifdeurtjes ervoor. Ze stonden allemaal open. Ik zag honderden glinsterende medailles hangen en er stond een groot aantal bekers.

'Dampende kippenkak,' fluisterde ik diep onder de indruk. 'Heb je die allemaal gewonnen?'

'Ja, dat wil zeggen, op eentje na!' antwoordde Willie. Hij

zette twee thermoskannen op tafel. Een voor hem en een voor mij. 'Maar dat is al eeuwen geleden.'

Toen schonk hij in en tikte met zijn bekertje tegen het mijne.

'Alles is cool!' zei hij.

'Zolang je maar wild bent,' vulde ik aan.

Ik nam een grote slok. De Wilde Bende Punch smaakte fantastisch en ik werd warm van mijn kruin tot aan mijn tenen. Ik strekte mijn benen naar voren en keek nieuwsgierig rond.

'Welke niet?' vroeg ik. 'Welke van de bekers heb je niet gewonnen? En waarom staat hij dan hier?'

Maar Willie hoorde me niet. Hij keek me alleen maar aan.

'Waarom ben jij wel hier?' wilde hij weten. 'En de anderen niet?'

'Ik weet het niet,' beantwoordde ik de tweede vraag. 'Ze hebben niets tegen me gezegd. Ze praten niet meer tegen me.'

Willie zweeg, maar toen ik hem aankeek, knikte hij even. Dat gaf me moed.

'Ze hebben me uitgelachen!' legde ik uit en ik nam nog een grote slok.

Willie deed hetzelfde.

'Waarom?' vroeg hij toen.

Ik moest lachen.

'Nee. Dat zeg ik niet. Dat kan en wil ik niet zeggen!'

Ik lachte maar mijn ogen keken doodernstig. Ik schaamde me en ik was bang dat ook Willie me zou uitlachen als ik hem alles vertelde. Maar hij gaf me opnieuw moed.

'Ik wed dat ze nu spijt hebben dat ze je zo uitgelachen hebben,' zei hij. 'En ik ga door met wedden. Ik wed dat ze hier bij ons zouden zitten als ze maar de helft van jouw lef hadden.'

Ik keek hem verrast aan. Er kwam een glimlach uit mijn buik, maar ik drukte hem weer naar beneden.

'Nee, ik heb geen lef,' verdedigde ik me krachtig. 'Ik ben een opschepper. En ik heb Jojo's doelpunt verprutst en daardoor hebben we het herfstkampioenschap verloren. Ik heb een Spiderman-pyjama en ik heb hun verteld dat mijn spiegelbeeld een spook is met jouw streepjespak aan.'

Zo, dat was eruit. Willie schoof zijn rode honkbalpet naar achteren en krabde op zijn voorhoofd. Toen schudde hij zijn hoofd en moest lachen.

'Dat meen je niet!'

Ik slikte en voelde een grote woede opkomen. Ik wilde opspringen, naar buiten lopen, weg, weg, weg! Voor altijd! En een voetbal raakte ik ook nooit meer aan. Ja, daarvoor stak ik behalve mijn benen zelfs mijn hart in het vuur.

'Weet je, ik geloof het niet,' zei Willie grinnikend. 'Ik kan het gewoon niet geloven, maar mij gaat het vaak net zo. Met één verschil: mijn spiegelspook heeft geen streepjespak aan. Hij draagt een pyjama en hij is een ramp!'

Ik zat daar en vergat bijna adem te halen. Zo verbijsterd was ik.

'Bij alle paardenvijgen met pindakaas! Je hebt gelijk. Hij is een ramp!' fluisterde ik buiten adem.

'Ja,' zei Willie. 'Hij houdt nooit zijn mond!'

'En hij zegt altijd alleen maar wat je niet wilt horen!' riep ik verontwaardigd.

'Precies!' zei Willie. 'En hij heeft nog gelijk ook!'

Hij grijnsde sluw tegen me. 'Of vind jij van niet?'

Ik schoof zenuwachtig heen en weer en wilde mijn hoofd schudden. Ik wilde hem zeggen dat hij me met rust moest laten! Maar in plaats daarvan liet ik mijn hoofd hangen, knikte en zei heel zachtjes: 'Hij heeft gezegd dat ik niet bij de

Wilde Bende hoor. En dat het mijn schuld is als de Wilde Bende binnenkort niet meer bestaat.'

Ik verzamelde al mijn moed. Ik tilde mijn hoofd op en keek Willie recht aan. 'Willie! Ik wil niet dat het spiegelspook gelijk krijgt. Ik wil dat hij zich verschrikkelijk vergist!'

Willie knikte.

'Dat geloof ik graag. Maar dan moet je het hem ook bewijzen.'

'Maar hoe dan?' vroeg ik. 'De anderen lachen me uit. En ze hebben gelijk. Wat voetbal betreft ben ik een grote nul!'

Willie keek me geschrokken aan. Hij had een eeuwigheid nodig voor hij verder sprak.

'Weet je dat wel zeker?' vroeg hij. Maar hij wilde het antwoord niet horen. 'Nee, niets zeggen,' zei hij zachtjes. Maar hij kon niet verhinderen dat ik knikte. Ik wist het absoluut zeker. Als ik eerlijk ben, moet ik zeggen dat ik het de hele tijd al wist. Sinds de wedstrijd tegen de Onoverwinnelijke Winnaars. Ik kon niet voetballen, niet echt.

Willie trok de pet van zijn hoofd en streek over zijn haar. Hij was verlegen met de hele toestand. Toen nam hij een grote slok. Hij dacht na, dronk zijn bekertje leeg en dronk er daarna nog twee.

'Wat is dit moeilijk, man!' zuchtte hij. 'Krijg nou wat! Als dat zo is, heb je maar één kans. Een piepklein kansje.'

Ik hield me vast aan de rand van de tafel, alsof het om leven en dood ging. En mijn ogen hingen aan Willies lippen. Donder en bliksem! Ik zou elke kans grijpen die hij me gaf.

Willie keek me onderzoekend en een beetje weifelend aan.

'Je hebt net zoveel kans als een olifant die probeert over een zijden draad een ravijn over te steken. Durf je dat aan?'

Ik slikte. Dit was onmogelijk. De olifant zou het nooit redden. Maar ik had geen keus. Ik moest het gewoon proberen. Ik beet op mijn lip en knikte.

Bij alle giganten van olifanten! Ik was gek!

Maar Willie knikte tevreden.

'Goed. Ik wist wel dat ik me niet in je had vergist.' Hij draaide zich om, pakte een hele oude leren voetbal uit een kastje en legde die tussen ons in.

'Hier. Moet je zien. Dit is de trofee die ik niet heb gewonnen. Hij is me alleen maar gegeven. Of liever gezegd: hij is me toevertrouwd.'

Willie zag mijn vragende blik. Wat deed die oude voetbal tussen al die glanzende bekers?

'Ik weet het,' gaf hij toe, 'hij ziet er niet uit. Maar voor mij is deze voetbal het waardevolste dat ik heb.'

Willie schoof opgewonden heen en weer op zijn bankje. 'Nu moet je alsjeblieft even heel goed naar me luisteren. Ik ga je alles vertellen. Daarna kun je doen wat je wilt. Je kunt opstaan en weggaan en alles weer vergeten. Of je kunt het proberen. Je kunt de olifant zijn die op een zijden draad over het ravijn danst. Oké?'

Ik wist niet wat ik moest doen. Ik begreep er niets meer van. Een stokoude voetbal... Een dansende olifant op een zijden draad... Dampende kippenkak! Wat had dit te betekenen?

Maar voor Willie was het allemaal heel logisch. Hij boog zich naar voren. En hij begon heel zachtjes te praten. Het leek of hij me het grootste geheim van de voetbalwereld ging verklappen.

'Raban. Ik was net als jij. Alleen een beetje ouder. Ik geloof dat ik toen zestien was. Maar dat maakt niets uit. Het was een andere tijd. In elk geval heb ik me dezelfde vragen gesteld. Dezelfde vragen die jou nu zo ongelukkig maken.'

Ik hapte naar lucht. Ik had te lang mijn adem ingehouden. Willie, de beste trainer van de wereld, had dezelfde problemen als ik gehad? Dat leek me absoluut onmogelijk. Maar toch gaf het me weer een beetje moed.

'Oké! Vertel door!' Ik schraapte mijn keel en Willie knikte tevreden.

'Ik had toen maar één doel,' ging hij verder. 'Ik wilde de beste voetballer van de wereld worden. Beter dan Figo, Zidane en Ronaldo bij elkaar. Maar de werkelijkheid was helaas anders. De vader van Dikke Michiel had mijn knie verbrijzeld. Ik liep als de klokkenluider van de Notre Dame te hompelen. Ik kon hooguit nog ballenjongen worden, dacht ik. Bij een golfclub in Amstelveen of zo. Toen nodigde mijn trainer me uit. Bij hem thuis. Zoals jij nu hier zit, zat ik toen bij hem. En hij verklapte me het grootste geheim dat er voor een jongen in de voetbalwereld bestaat.'

Het werd onwijs spannend. Er was niks mis met mijn

knieën. Ik had alleen maar een zwakker been. Willie pakte mijn hand en keek door mijn ogen recht in mijn ziel.

'Eens in de 24 jaar is er een heel bijzondere gebeurtenis in het oude stadion. Daar komen in de nacht van Oud en Nieuw de grote voetbalgeesten bij elkaar. Je kunt ze zien als je het geluk hebt gehad twee dagen voor kerst vuurvliegjes te zien gloeien.'

'Meen je dat, Willie? Dat moet ik zien!' riep ik enthousiast. 'Maar vuurvliegjes zien gloeien? Midden in de winter?'

'Inderdaad. Als dat gebeurt, kom je op oudejaarsavond naar het oude stadion in Amsterdam. Kort na middernacht springen daar de schijnwerpers aan... En dan verschijnen ze: de geesten van de grote Nederlandse voetbalhelden. Ze spelen met je en na deze allesbeslissende wedstrijd zeggen ze tegen je of het je lukt.'

'Of wat je lukt?' vroeg ik gehypnotiseerd.

'Profvoetballer worden,' antwoordde Willie. Hij zweeg even en voegde er nog aan toe: 'Of ze vertellen je dat je misschien een andere opdracht hebt.'

'Wat zeiden ze tegen jou?' wilde ik weten. 'Wat was hun voorspelling?'

'Ik was niet goed genoeg!' antwoordde Willie. Hij deed zijn ogen dicht alsof hij net ter dood veroordeeld was. 'Niet goed genoeg! Dat zeiden ze, alsof ze mij geluk wensten op mijn verjaardag. Ik had het niet meer. Kun je je dat voorstellen? Als troost gaven ze mij deze bal. De bal die nu zo oud is en er niet uitziet, en ze fluisterden me toe dat ik een andere opdracht in het leven had. Ik moest wachten. Ik kwam er nog wel achter.'

Willie lachte. Maar hij lachte door zijn tranen heen.

'En ik heb die opdracht gevonden. Door jullie. Toen ik jullie trainer werd, Raban! De trainer van het beste voetbalelftal ter wereld.'

Willie keek me aan. Toen dronk hij nog een bekertje en ik wist zeker dat zijn warme wijn niet door de KNVB was goedgekeurd.

'Snap je, Raban?' mompelde hij en hij pakte mijn hand. 'Nu heb je die kans. Ga kijken of je de vuurvliegjes ziet gloeien. Dat gebeurt maar eens in de 24 jaar.'

Willies ogen lichtten op van enthousiasme. Ze straalden nog steeds toen we de caravan uit gingen om afscheid te nemen. Het was donker geworden. De wind floot tussen de planken van de omheining door. Hij blies in mijn plastic slee die weer op mijn rug hing en trok me bijna om.

'Ik weet het niet,' zei ik aarzelend. Ik schoof onrustig met mijn voeten heen en weer. 'Het klinkt als een sprookje, Willie, vind je niet?'

Maar Willie zei niets.

En zelfs al was het waar, hoe kon ik dan iets doen? Hoe kreeg ik de Wilde Bende weer bij elkaar? 'De anderen lachen me uit. Voor hen ben ik Raban de clown. De gek. Ze geloven het nooit.'

'Nou, én,' zei Willie rustig. 'Als je echt in iets gelooft, moet je rekenen op de spot van anderen.'

'En als je daar niet tegen kunt?' vroeg ik.

'Dan is dat het einde van de Wilde Voetbalbende. Of denk je echt dat ik alleen jou had uitgenodigd? Nee, Raban, iedereen kreeg een brief. Zelfs Rocco de tovenaar en Deniz in Amsterdam-Noord. Maar die hebben niet gedurfd. Die hebben het al opgegeven.'

Daar stond ik, in het donker. Mijn bril besloeg en veranderde de wereld om me heen in een Turks stoombad. De sneeuwkledder onder mijn voeten spatte en plakte alsof ik in een hoop jam stond, en Willie wilde me tot ridder slaan, tot redder van het beste voetbalelftal ter wereld.

'Raban! Het is je al eerder gelukt, weet je nog? Toen Leon jou en Josje uit het elftal had gegooid. Voor de wedstrijd tegen de Onoverwinnelijke Winnaars. Toen heb jij me teruggehaald! Geweldig! Dat ben je vast niet vergeten. En toen heb je ook nog het winnende doelpunt gescoord. Met je zwakkere been.'

'Ik heb geen zwakker been,' zei ik nuchter.

'Des te beter.' Willies stem klonk bijna smekend toen hij vervolgde: 'Je bent een eik in de wind. Jij gelooft in ons. Zonder jou zou de Wilde Voetbalbende niet bestaan.'

Op dat moment blies de wind opnieuw in de plastic slee en tilde me wel twintig centimeter de lucht in.

'Ik een eik in de wind!' lachte ik spottend. Ik draaide me om en duwde mijn fiets de poort door en de heuvel op.

Alle donderende duivels en brakende beren! Waarom was

ik steeds de klos? Ik, Raban de clown, die nu met moeite zijn Giant-mountainbike de heuvel op duwde?

Maar Willie gaf nog steeds niet op.

'Vergeet de vuurvliegjes niet!' riep hij me achterna.

'Vuurvliegjes?' Ik schudde mijn hoofd. Twee dagen voor kerst zeker! Gloeiende vuurvliegjes? Maar toen ik op de top van de heuvel kwam, bleef ik stokstijf staan... Ik kneep hard in mijn wang.

Overal om me heen fonkelde het. Duizenden gloeiende puntjes dansten door de decembernacht. Even stond ik als aan de grond genageld. Maar toen sprong ik op mijn fiets en racete ervandoor. Ik trapte zo hard als ik kon. Met piepende achterband draaide ik de Rozenbottelsteeg in en... Ik zag de fruitkraam te laat.

Stinkende paardenvijgen! Waar kwam die kraam opeens vandaan? Maar voor deze vraag was het te laat. Ik vloog al op de dadels af. De fruitkoopman versperde me de weg met zijn enorme handen.

Dit is een verschrikkelijke nachtmerrie! Nu is het afgelopen met me. Dat schoot door mijn hoofd. Maar toen zag ik een kruiwagen met steigerplanken. Iemand had de planken zo gelegd dat ik er met mijn fiets gemakkelijk tegenop, overheen en aan de andere kant weer af kon rijden. Een bouwvakker was ze vast vergeten. Of was het werk van een engel? In elk geval joeg ik over de plank en over de kruiwagen. Ik kreeg zoveel vaart dat ik zelfs over de fruitkraam heen vloog. De fruitkoopman dook geschrokken weg tussen zijn meloenen.

Raah!

Je had het moeten zien! Helemaal te gek! En voor de fruitkoopman weer overeind was gekropen en scheldend opsprong, was ik al veilig thuis.

Raban de clown

Kerstavond was als elk jaar. Mijn moeder en ik waren gezellig met zijn tweetjes. De lampjes brandden in de kerstboom. De ballen glinsterden en flonkerden. De boom stond in een grote pot in de kamer.

Ik zat sinds vier uur bij de boom en wachtte op iets waarvan ik zeker wist dat het niet gebeuren zou. Om precies zes uur kwam mijn moeder uit haar werkkamer en zette een cd met kerstliedjes op. Toen gaven we elkaar een paar dikke zoenen, wensten elkaar een goede kerst en gaven elkaar een cadeautje.

Ik pakte het mijne het eerst uit en kreeg voor de derde keer een Spiderman-pyjama. Eerst wilde ik zeggen: 'Mam, ik ben al tien. De jongens van de Wilde Bende lachen me uit, omdat ik nog zo'n pyjama draag.' Maar ik hield mijn mond. Mijn moeder zou het niet begrijpen. Ik wachtte ongeduldig tot ze mijn cadeau had uitgepakt. Ik had me echt uitgesloofd. Ik had het mooiste cadeau gemaakt dat iemand van de Wilde Bende maar kan geven. Mijn moeder reageerde hetzelfde als ik. Zonder iets te zeggen staarde ze naar de kaart. 'V.I.P. Logekaart' stond in grote letters op het zwarte karton. En daaronder: 'Deze kaart geeft je exclusief en persoonlijk het recht elke thuiswedstrijd van de Wilde Voetbalbende te zien. Je plaats bevindt zich naast Willies stalletje, onder de paraplu. Je krijgt sinas en een gevulde koek. Gratis.'

Dat was het. De avond verstreek. De volgende dag was het kerst, maar de dagen daarna leken eindeloos te duren.

Er was één troost. Dacht ik. Cynthia, Annemarie en Sabine waren met hun ouders op wintersport. Eerst vond ik dat super. Maar op de vierde dag na kerst, drie dagen voor oudjaar, vond ik dit zogenaamde voordeel een groot nadeel. Ik had eigenlijk wel graag gespeeld met de drie monsters met strikjes, lintjes en kantjes. Zonder hen voelde ik me hartstikke alleen en een dag voor oudjaar stormde ik het huis uit om in elk geval iemand van de Wilde Bende te zien.

Ik kon niet anders. Ze moesten weten van het oude stadion. En wat er daar ooit met Willie was gebeurd. Misschien zouden zij het geloven en dan geloofde ik het uiteindelijk ook. Morgennacht kon het gebeuren. Exact om middernacht zouden de lichten aanspringen. De geesten van de grootste Nederlandse voetbalhelden zouden verschijnen en met je spelen. En daarna zeiden ze of het je zou lukken. Of je aanleg had om profvoetballer te worden.

Maar wie ik het ook vertelde, of dat Leon of Marlon was, of Fabi, Rocco of Vanessa... Niemand geloofde het. Zelfs Josje keek me stomverbaasd aan. Alsof ik in mijn Spiderman-pyjama voor hem zat en hem vertelde dat je voetbalt op schaatsen in een zwembad.

Niemand geloofde me. Ik sukkelde treurig weer naar huis en voelde me eenzaam. Maar die treurnis en eenzaamheid maakten een gevoel van trots in me wakker. Ik wilde iets bewijzen... Namelijk dat in deze nieuwjaarsnacht de geesten van de voetbalhelden echt bij elkaar kwamen. Zodat ze 24 jaar lang spijt zouden hebben dat ze er niet bij waren geweest.

De volgende morgen nam ik de laatste hindernis: 'Hé, mam!' zei ik aan het ontbijt. 'Ik vier vanavond geen oudjaar met je.'

Mijn moeder keek verbaasd over haar krant heen. Ik zat in mijn voetbalkleren aan tafel en raakte mijn boterham niet aan. Ik kreeg geen hap door mijn keel van opwinding.

'Ik ga vannacht naar het oude stadion om de voetbalgeesten te ontmoeten.'

Nu vouwde mijn moeder de krant dicht en sloeg haar armen over elkaar.

'Het gebeurt maar eens in de 24 jaar,' ging ik verder. 'En ik wil niet op de volgende keer wachten. Ze gaan met me voetballen en dan vertellen ze hoe het later met me zal gaan.'

Zo, dat was eruit. Wat het betekende zag ik aan het trillen van mijn moeders neusvleugels. 'Ik dacht het niet!' zei ze zachtjes, maar met een woede die al mijn dromen in elkaar deed storten.

Meer zei ze niet. Ze hoefde ook niet meer te zeggen. Ze

pakte de krant weer op, sloeg hem open en las verder, alsof er niets was gebeurd. De klok sloeg negen en zoals elke morgen stond ze op om naar haar werkkamer te gaan. Maar toen was ik allang weg.

De nacht der nachten

Doelloos rende ik door de straten tot ik buiten adem was. Pas toen bleef ik staan en voelde me de grootste idioot op de wereld. Wat had het voor zin om weg te lopen als mijn moeder precies wist wanneer en waar ze me kon vinden? Ze hoefde alleen maar voor het oude stadion te wachten. Zodra ze me zag, zou ik mee moeten naar huis.

Het was iets over negenen in de ochtend. Wat moest ik de komende 15 uur doen? Naar mijn vrienden kon ik niet. Die dachten dat ik knettergek was geworden. En toen ik bij het stalletje van Willie kwam, was hij er niet. Stalletje en caravan zaten op slot en zijn brommer was weg. Wat betekende dat? Bleef hij expres uit mijn buurt? Was het verhaal van de voetbalgeesten toch maar een verzinsel? Maakte ik me weer eens volkomen belachelijk? Net als toen ik met mijn slee kwam aanzetten terwijl het dooide?

Hottentottennachtmerrienacht en dat op klaarlichte dag! Even wilde ik terug naar huis. Sorry zeggen tegen mijn moeder, omdat ik zomaar verdwenen was. In plaats van naar het oude stadion te gaan, zou ik dan met haar oudjaar vieren. Dan maar geen toekomstvoorspelling! Gewoon oliebollen bakken en spelletjes doen. Mijn moeder haatte spelletjes, maar op oudejaarsavond liet ze zich altijd overhalen.

Toen nam ik opeens een besluit. Ik vermande me en zette mijn tanden op elkaar. Bij alle dansende voetballen van de

wereld! Wat had ik te verliezen? Dus liep ik verder, kriskras door de stad en onder het lopen begonnen de dromen.

Ik zat in het stadion en zag hoe de schijnwerpers aansprongen. Toen kwamen de voetbalhelden en ze speelden met me. In het begin was ik nog verlegen, maar daarna groeide ik boven mezelf uit. Ik werd de beste spits ter wereld. Ik was nog meer verzot op het doel dan Deniz de locomotief... Ik was sneller dan Fabi de snelste rechtsbuiten ter wereld. Ik was wilder dan Leon de slalomkampioen. En mijn trucs waren beter dan die van Rocco de tovenaar. En toen kwam het oordeel: de oude voetballers vormden een kring om mij heen. Ze keken me alleen maar aan. Het leek een eeuwigheid te duren. Maar toen glimlachten ze. Dat glimlachen werd lachen. En ze zeiden tegen me dat ik een van de grootste voetbalsterren zou worden die de wereld ooit had gezien!

Toen de droom uit was, liep ik met trots opgeheven hoofd door de stad. Ik wachtte steeds net zo lang tot iemand naar me keek. Dan gooide ik een steen hoog de lucht in om hem vervolgens een eind weg te schoppen. Iemand moest dat absoluut zien. Hij moest mijn hakje bewonderen, mijn volley of het jongleren met de knie. Ja, dat moest. Als de truc mislukte, draaide ik me bliksemsnel om. De truc lukte geen enkele keer. Dus liep ik een andere kant uit en begon opnieuw te dromen.

Zo vloog de tijd om. Algauw werd het middag en vroeg donker. Tegen negen uur 's avonds liep ik naar het stadion. Al van ver zag ik de schijnwerpers branden, dacht ik. Dat deden ze al jaren niet meer. Toen ik de tribunes boven de

daken van de huizen zag, werd ik zenuwachtig. Stel dat het echt waar was! Vanuit mijn ooghoek zag ik een schaduw bewegen. Ik schrok me rot en kon me nog net op tijd verstoppen.

Raad eens van wie die schaduw was? Juist. Voor de ingang van het stadion stond niemand minder dan mijn moeder. Ik had ook eigenlijk niet anders verwacht.

'Almachtige flessengeest!' fluisterde ik. 'Dat scheelde maar een haar!' Toen sloop ik op mijn hurken langs de omheining tot ik een gat vond en tijgerde voorzichtig het stadion in.

Twee verschrikkelijke uren

Om tien uur stond ik op het veld. Het gras kwam tot ver boven m'n knieën. Mijn twijfel was even groot als het gras hoog was. Had Willie echt de waarheid verteld? Had hij hier gestaan, 24 jaar geleden? Het leek erop dat het gras sindsdien niet meer gemaaid was. Zouden de voetbalgeesten vanavond komen? Dat was de grote vraag.

'Knetterende donder en flitsende bliksem!' vloekte ik en van de tribune kwam een echo terug.

'Knetterende donder en flitsende bliksem,' giechelde de echo. 'Die is goed.'

'Probeer het nog eens met "Stinkende apenscheten"!'

'Of met "Brakende beren"! Die is ook leuk!'

Ik draaide me om en in het licht van de maan zag ik ze allemaal zitten: Leon, Fabi, Marlon, Rocco, Max, Joeri, Josje, Vanessa, Deniz, Marc en Jojo. Ja, zelfs Felix, die ziek was, zat er. Ze waren allemaal gekomen. Zeer waarschijnlijk om dezelfde reden als ik: als het verhaal van de oude voetbalhelden wáár was, wilde niemand het missen. Zíj hadden het alleen zonder overleg met Willie gedaan en hoefden zich nu niet te schamen zoals ik. Nee, ze konden me zelfs pesten en dat deden ze dan ook.

'Hé, Ra-haban!' riep Deniz. 'Wat dacht je van een spelletje Voetbalhelden Zoeken? Ze hebben zich vast en zeker als paaseieren in het gras verstopt.'

Met een kleur als vuur keek ik hem aan. Ik kon geen woord uitbrengen en daarom ging ik een eind bij de anderen vandaan op de tribune zitten.

Daar wachtte ik twee volle uren, die een eeuwigheid duurden. Steeds weer werd ik uit mijn dromerijen gehaald door spottende opmerkingen van de anderen. Uiteindelijk zat ik daar op de tribune maar wat te piekeren. 'Niet luisteren!' prentte ik me elke keer in, maar dat lukte niet. Elke opmerking voelde als een messteek in mijn hart. Het enige waardoor ik het uithield, waren Willies woorden op de avond van het mislukte sleefeest. 'Je bent een eik in de wind. Jij gelooft in ons. Zonder jou zou de Wilde Voetbalbende niet bestaan.'

Toen sloeg het middernacht en ik sprong meteen op. Ook de anderen stonden op. Om ons heen begon het nieuwjaarsvuurwerk. Het knetterde, floot en knalde. Sissend suisden vuurpijlen de lucht in, waar ze uiteenspatten in fonkelende kleuren.

Maar de schijnwerpers bleven uit. Behalve wij was er niemand. Overal op de wereld omhelsden mensen elkaar en wensten elkaar een gelukkig nieuwjaar.

Mijn vrienden schudden alleen maar hun hoofd. Ze grijnsden verlegen en keken toen een beetje smalend.

'Kom, we smeren 'm!' zei Leon nerveus.

Maar Fabi aarzelde. Hij raapte zijn moed bijeen en keek me aan. 'Hoe zit het met jou? Ga je ook mee, of niet?'

Ik wilde knikken.

Ik wilde opspringen en naar hen toe lopen. Zo blij was ik dat Fabi tenminste weer tegen me praatte. Maar ik kon me niet meer bewegen. Ik kon ook niets zeggen. De anderen verloren hun geduld.

'Kom op nou, Fabi?'

'Wat wil je van die gek?'

'Laat hem hier blijven als hij dat zo nodig wil.'

Fabi keek me nog een keer aan. Toen draaide hij zich om en liep achter de anderen aan.

Ik sloeg mijn handen voor mijn gezicht. Ik wilde niet dat iemand zag dat ik huilde. Ik wilde het zelf niet zien. Dat kon ik nu niet verdragen.

Toen hoorde ik stappen achter me. Het was mijn moeder. 'Je weet niet half hoe pijnlijk dat was,' zei ze toonloos en koud. 'Ik wou dat ik het nooit gezien had.'

Toen liep ze langs me heen. Ik bleef zitten, maar na tien eindeloze stappen draaide ze zich nog een keer om. 'Kom, we gaan naar huis.'

Biljartvoetbal

Ik sjokte achter mijn moeder aan. Ik leek op een kuiken dat achter het eerste het beste levende wezen aanloopt dat hij ziet zodra hij uit het ei is gekropen. Ik denk dat mijn moeder het ook zo voelde. Ik had moeite haar bij te houden. Of misschien liep ik wel expres zo langzaam. Wat had ik mezelf voor schut gezet. Hoe kon ik met tieneneenhalf jaar en een gezond verstand geloven in geesten van voetbalhelden die bij elkaar komen in een oud stadion? Eens in de 24 jaar?

Het was onzin, hoe dan ook. En ik moest maar zien wat de toekomst voor me in petto had. Onontkoombaar en niet te verhinderen. Ik moest ermee leren leven dat ik geen flitsende profvoetballer zou worden. Dat gold overigens ook voor de andere leden van de Wilde Bende.

Plots zoemde het in de lucht. Ik bleef staan en voelde elektriciteit. Vonken sproeiden als een sterrenregen aan de stadionhemel en toen sprongen de schijnwerpers aan. Ik was verblind, zo fel was het licht. En toen ik weer kon zien, was het gras gemaaid.

Het was het beste veld van de wereld en over dat gras kwam nu een groep gestalten in majesteitelijke shirts recht op me af. Het leek of het om een heel belangrijke wedstrijd ging.

Het waren de kampioenen van het EK in 1988: Marco van Basten, Ruud Gullit, Jan Wouters, Ronald Koeman, Aron

Winter, Frank Rijkaard, Adrie van Tiggelen. Daar was doelman Hans van Breukelen. Achter hem kwam zijn reserve Joop Hiele. Toen kwam Ruud Gullit naar me toe en drukte me de hand.

'Hallo, Raban!' zei hij vriendelijk. 'Je weet waar het vanavond om gaat?'

Ik knikte zonder iets te zeggen en voelde me nerveuzer dan ooit tevoren.

'Goed,' zei Ruud. 'Dan is het goed. Laten we beginnen, of wil je misschien eerst een handtekeningenrondje?'

Ik liep rood aan en schudde mijn hoofd. Als ik al iets kon zeggen, kreeg ik daar de tijd niet voor. Het begon al. Ik speelde met Marco van Basten en Ruud Gullit in de voorhoede. Op het middenveld regeerde Frank Rijkaard, de verdediging was in handen van Ronald Koeman en in het doel stond natuurlijk Hans van Breukelen. De anderen waren de tegenstanders en die waren natuurlijk kansloos. Maar ik voelde me zo zenuwachtig en verlegen. Ik was helemaal nergens.

Steeds weer kreeg ik de bal. Het was tenslotte mijn persoonlijke test. Maar ik verpestte het door de bal niet af te geven. Mijn oma had het niet slechter kunnen doen. En als ik op doel schoot, was het óf op de paal, óf eroverheen.

In het begin zeiden de voetbalhelden geen woord. Toen stelden ze me gerust en later moedigden ze me zelfs aan. Maar het ging er niet beter door. Uiteindelijk begon ik me op het veld te verstoppen. Ik wilde en kon niet meer. Dit was gewoon te zwaar. Ik liet het spel aan hen over. Zo kon ik van heel dichtbij van de hoogste vorm van voetbalkunst genieten.

Toch stond het een minuut voor het einde nog steeds nulnul. Toen kwam de bal per ongeluk mijn kant uit. Ik zag twee man van de tegenstander recht op me afkomen.

Alle duivels in de hel! Wat kon ik doen?

Ik rende met de bal richting doel. Alleen, het was ons eigen doel. Hans van Breukelen kon het eerst helemaal niet geloven. Maar het was al te laat. Ik schoot en de bal passte precies in de hoek.

Driemaal geoliede uilenkak! Alsjeblieft, geen doelpunt! Nee!

Op het laatste moment draaide de bal. Hij ketste tegen de lat en schoot hoog de lucht in. Hij kwam ver in het middenveld weer naar beneden en sprong op als een stuiterbal. Na een wonderlijk hoge boog in de richting van het doel van de tegenstander schampte de bal langs Rijkaards knie. Vervolgens kopte Erwin Koeman hem door naar Marco van Basten die hem in één keer in het doel schoot.

'Knetterende donder en flitsende bliksem!' Ik gooide mijn armen in de lucht en stormde over het veld. We hadden gescoord en dus gewonnen! Het was een raar soort biljartdoelpunt geworden à la Raban de held! Ik vloog iedereen om de hals. De helden bedankten me voor het enige en spelbeslissende doelpunt. Ik zag hoe mijn moeder en de andere jongens van de Wilde Bende op de tribune van blijdschap waren opgesprongen.

Alle apenscheten! Ook zij waren teruggekomen, toen de schijnwerpers waren aangesprongen. En ze hadden alles gezien. Nu was ik niet meer de gek. Nu hoefde niemand zich meer voor me te schamen. Alle gillende krokodillen! De voetbalhelden vormden al een kring en Ruud Gullit nam me hoogstpersoonlijk mee naar het midden ervan.

Zwarte, ronde magie

Daar stond ik en durfde me niet te bewegen. Ik durfde nauwelijks adem te halen. Mijn hart was al opgehouden met kloppen. Ik zag alleen de gezichten van de voetbalhelden om me heen. Ruud Gullit liet mijn hand los en ging tussen de anderen in de kring staan. Hij glimlachte weer naar me. Toen was opeens iedereen ernstig. En de grote Ruud begon te praten.

'Je weet waarom je hier bent?' vroeg hij nu voor de tweede keer. Ik knikte ja met mijn ogen. Meer lukte me niet.

'Oké. Dan weet je ook dat dit géén handtekeningenuurtje is. Dit hier is absolute ernst!'

Op dat moment viel alles op zijn plek. Ik ademde weer normaal. Mijn hart hamerde in mijn borst en ik hoorde het bloed in mijn oren suizen. Ruud Gullit toverde uit het niets een zwarte, vierkante kartonnen doos tevoorschijn. Hij opende hem en gaf me de inhoud: een gitzwarte voetbal met het logo van de Wilde Voetbalbende erop. O, man, dit was zwarte, ronde magie! Zoiets fantastisch had ik nog nooit gezien! En die voetbal was voor mij! Dankbaar en stralend van blijdschap pakte ik de doos met de voetbal aan.

'Deze is voor jou, zodat je je nieuwe opdracht nooit vergeet,' zei Ruud. 'Een profvoetballer zul je misschien niet worden. Maar dat wist je wel, denk ik.'

Ik knikte en hoewel mijn hart ongeveer naar Australië zakte, wist ik dat hij gelijk had.

'Goed,' zei hij. 'Daar ben ik blij om! Dan wens ik je nog veel geluk. Alles is cool!' besloot hij.

'Zo-zolang je maar w-wild bent,' stamelde ik als antwoord. 'M-aar wat is m-mijn opdracht?'

Het licht van de schijnwerpers ging uit. In een oogwenk waren de voetbalhelden verdwenen en het gras stond weer hoog. Ik keek verbaasd om me heen. 'Wat is er gebeurd?' vroeg ik me af. Ik zag de jongens van de Wilde Bende op me afstormen.

'Wat heeft hij gezegd?' vroeg Josje.

'Gaat het lukken, Raban?' Fabi pakte me bij mijn arm. 'Word je zoals zij?'

Ik keek hem aan en schudde treurig mijn hoofd.

'O, dat vind ik erg!' riep Vanessa. Dat kwam wel heel vlug, vond ik.

'O, man, ik was net nog zo jaloers op je!' Felix schudde zijn hoofd. 'Maar ik ben wel hartstikke blij dat ze dat niet tegen mij hebben gezegd.'

'Maar we moeten jou wel onze excuses aanbieden!' zei

Leon aarzelend. Van hem had ik zo'n opmerking het minst verwacht en dat was een troost.

'Krabbenklauw en kippenkak! Wat is dat nou?' riep Joeri enthousiast toen hij de bal in mijn handen zag. 'Hebben jullie ooit zoiets gezien? Zo gaaf, helemaal te gek!'

'Dat is zwarte, ronde magie,' fluisterde ik. 'Dat is mijn nieuwe opdracht zei Ruud Gullit.'

'En dat zeg je nu pas!' riep Marlon. 'Een opdracht van de grote Ruud Gullit zelf. Krijg nou wat! Raban, wat zei hij precies?'

Ik keek hem aan en herinnerde me even helemaal niets. Ik kromp geschrokken in elkaar en dacht dat ik alles alweer vergeten was. Ja, hoor! Echt iets voor mij! Maar toen schoot me te binnen dat hij niet echt iets tegen me had gezegd. Wat betekende dat? Was het allemaal een grap? Was ik zo slecht dat ik niet eens een opdracht kreeg? Of moest ik die zelf vinden? Ja, natuurlijk. Net als bij Willie. Pas 24 jaar na de vorige bijeenkomst van de voetbalgeesten had hij zijn opdracht ontdekt: trainer van de Wilde Bende worden.

Maar dat duurde me te lang. Zo lang ging ik niet wachten. En de andere leden van de Wilde Bende natuurlijk ook niet.

'Nou, weet je nu al niet meer wat hij tegen je zei?' zeurde Fabi door. Op dat moment vermande ik me voor de tweede keer.

'Natuurlijk wel! Maar zo simpel is het niet. En dit hier is ook niet de juiste plaats!' Ik kletste maar een eind weg. Ik zei gewoon wat er in mijn hoofd opkwam. Maar toen ik diep zuchtte, voelde ik: dit was geen geklets. Deze woorden kwamen van heel diep uit mij en toen wist ik het. Ik had de opdracht niet van de voetbalhelden gekregen, maar hem zelf gevonden.

'Op naar Camelot!' riep ik. 'Daar vertel ik jullie alles. En zet het aambeeld klaar. Dat moet op een dag als vandaag.'

We renden naar de uitgang, maar daar versperde mijn moeder ons de weg.

'Raban! Ik moet met je praten!' zei ze ernstig. Haar stem trilde. Dat hoorde ik heel goed, want dat gebeurde maar zelden.

Even was ik in verwarring. Maar toen herinnerde ik me ons laatste gesprek en ook dat ik zonder toestemming was weggerend. Pech. Voor een lange preek had ik nu geen tijd. Daarom schoof ik mijn moeder zachtjes opzij.

'Sorry, mam, maar dat moet maar even wachten!' zei ik heel vastbesloten.

En toen renden we weg.

Een droom zou werkelijk kunnen worden

We renden tot we in de Fazantenhof bij het huis van Joeri en Josje kwamen. Daar in de tuin stond Camelot, het boomhuis van drie verdiepingen van de Wilde Bende. Kortgeleden hadden we het tot een vesting omgebouwd en tegen Dikke Michiel moeten verdedigen. Dikke Michiel is de grootste miskleun die er bestaat.

Maar dat is een ander verhaal. Dat vertelt Joeri 'Huckleberry' Fort Knox, het eenmans-middenveld, je wel. Nu hadden we het te druk met andere dingen.

We rolden eerst de oude ton, ons 'aambeeld', naar de onderste verdieping van Camelot. Daar was onze verzamelplek. Toen gingen we er in een kring omheen staan. De bal ging als een magische kristallen bol van hand tot hand. Nadat iedereen hem in zijn handen had gehad, legde ik hem op de ton. 'Oké,' begon ik. 'Nu zeg ik jullie wat mijn opdracht is. Ik begrijp hem nog niet, maar dat kan me niet schelen. Belangrijk is alleen dat we weer een gemeenschappelijk doel hebben. Zoals de wedstrijd tegen Dikke Michiel en tegen Ajax of het herfstkampioenschap dat ik verprutst heb. Luister dus goed. Ons doel is dat we allemaal zullen meedoen aan het WK in 2010!'

Het was meteen doodstil. Ik was onder de indruk van mezelf. Zo super had ik nog nooit gesproken en nooit zo lang. Maar de anderen zwegen om een andere reden.

'Weet je dat zeker?' vroeg Leon voorzichtig. 'Denk je niet in 2014 of misschien zelfs in 2018?'

'Nee. 2010!' antwoordde ik vastbesloten.

'Maar weet je hoe oud we dan zijn?' zei Marlon. 'Je kunt niet met meedoen aan een WK als je pas veertien of vijftien bent.'

'Ik zei toch dat ik de opdracht niet helemaal begrepen heb,' hielp ik hem herinneren.

'Ja, maar Raban!' zei Vanessa nu. 'Je weet wat ik wil worden. De eerste vrouw die in het nationale elftal meespeelt. En ik heb je vanavond met de voetbalgeesten gezien. Ook de zwarte bal is geen droom. Maar meedoen aan het WK 2010 is gewóón onmogelijk.'

'Goed,' knikte ik. 'Dan vraag ik jullie nu heel gewóón: wees eerlijk. Als jullie konden kiezen, wel of niet meespelen in het WK 2010, wat zou je dan zeggen?'

'Dat is een heel gemene vraag, gátss!' siste Vanessa.

'Weet ik. Maar zo krijgen we het goede antwoord. Dus: willen jullie bij het WK 2010 zijn of niet?' Ik keek grijnzend de kring rond. Geen enkel lid van de Wilde Voetbalbende peinsde er nu over om 'nee' te zeggen. Iedereen wilde erbij zijn. Alleen Vanessa aarzelde nog.

'Nou, wat wordt het?' vroeg ik aan haar.

'Laat me met rust. Dat weet je best!' riep ze boos. En toen strekte ze als eerste haar hand uit. 'Kom dan, waar wacht je nog op. Laten we het meteen doen!' spoorde ze ons aan. We begrepen maar al te goed wat ze bedoelde.

We strekten allemaal onze hand uit. We legden hem op mijn bal. We voelden zijn zwarte, ronde magie. En we beloofden onszelf oprecht en eerlijk in koor:

'Wij, de leden van de Wilde Voetbalbende V.W. uit de

Duivelspot, doen mee aan het WK in 2010. Dat beloven: Leon de slalomkampioen; Marlon de nummer 10; Fabi de snelste rechtsbuiten ter wereld; Rocco de tovenaar; Raban de held; Jojo die met de zon danst; Josje het geheime wapen; Joeri 'Huckleberry' Fort Knox, het eenmans-middenveld; Max 'Punter' van Maurik, de man met het hardste schot ter wereld; Vanessa de onverschrokkene; Deniz de locomotief; Marc de onbedwingbare; en Felix de wervelwind. Wij beloven dat vandaag, op de eerste dag van het jaar 2006.'

Wauw! Dat was goed. Een moment lang was het stil. Toen brak een vuurwerk los. We tuimelden uit Camelot. Toen zagen we Willie die samen met al onze ouders een verlaat oudejaarsvuurwerk afstak. Daarvan had ik, de held, tot nu toe niets geweten.

Alle ouders kwamen ons feliciteren en mij in het bijzonder. Het verhaal van mijn avontuur was als een lopend vuurtje rondgegaan. Alleen mijn moeder was er niet bij. Daarom ging ik, zodra de beleefdheid en de anderen het toelieten, uiteindelijk naar huis.

Raban de held

Het was al bijna half vijf in de ochtend toen ik thuiskwam, maar mijn moeder zat nog op me te wachten. In de hal in een luie stoel en ze sliep. Voorzichtig sloop ik langs haar heen. Ik was moe en de donderpreek die zéker zou komen, wilde ik liever morgen pas horen.

Maar helaas. Geen zoon komt sluipend langs zijn moeder, en zeker niet als ze op hem wacht. Ze houdt namelijk veel te veel van hem. Met die liefde voelde mijn moeder dat ik terug was. Ze opende haar ogen.

Ik had het gevoel dat ik bevroor, maar toen geloofde ik niet wat ik hoorde: 'Mag ik hem een keer vasthouden?' vroeg mijn moeder. Ze wees op de zwarte Wilde Bende-bal onder mijn arm.

Ik was stomverbaasd. Mijn moeder die zich voor een voetbal interesseerde? Dat was onmogelijk. Toch gaf ik haar de bal. Ik verwachtte dat ze hem als een dode vis zou laten vallen, als ze hem eenmaal gevoeld had. Maar ik vergiste me. Mijn moeder legde haar handen om de zwarte, ronde bal. Ze bekeek hem alsof het een kostbare diamant was. Ze streek met haar vingers over het logo dat erop stond. Ze keek me nadenkend aan. Ze slikte, schraapte haar keel en zei iets wat ze nog nooit had gezegd. En weer trilde haar stem.

'Ik moet je mijn excuses aanbieden, Raban. Ik heb je kerstcadeau niet goed ingeschat. Dat spijt me. Pas sinds vandaag weet ik dat het het kostbaarste is dat je me kon geven. Ik weet niets van voetbal. Maar vanaf nu zal ik geen thuiswedstrijd van de Wilde Voetbalbende missen. Ik zal voor Willies stalletje onder de paraplu zitten. En ik zal jullie aanmoedigen. Dat beloof ik je!'

Mijn moeder veegde een traan van haar wang.

'Dampende kippenkak!' riep ze toen. 'En ik verheug me ook op de sinas en de gevulde koek. Vergeef me alsjeblieft.'

Ze slikte. Ik wilde iets zeggen, maar voor ik kon antwoorden zaten we al in een innige omhelzing.

Hoe ik daarna in mijn bed kwam, weet ik nu niet meer. In elk geval sliep ik diep en vast tot de volgende middag. Pas toen deed ik mijn ogen weer open. Eén schrikseconde lang dacht ik echt dat ik het allemaal had gedroomd. Maar toen voelde ik de bal, die naast me op mijn kussen lag. Even later begon er iemand te praten die ik maar al te goed kende. Met hem had ik nog een aardig appeltje te schillen.

'Bravo! Het is je gelukt!' riep hij een beetje spottend. Zonder mijn bril op te zetten, keek ik naar de openstaande deur van m'n klerenkast.

De hele kamer was gehuld in een dikke mist, maar de Raban in streepjespak in de spiegel zag ik scherp.

'Het is je echt gelukt. Dat had ik nooit verwacht. Goeie!' zei mijn spiegelspook. 'Raban de brillenkop heeft eindelijk zijn ogen geopend. Dat ik dat nog mag meemaken.'

'Precies!' grijnsde ik. Zijn spot raakte me totaal niet. 'Je hebt het meegemaakt en nu kun je verdwijnen. Ik heb je niet meer nodig. Hoepel maar op!'

'Hohoho!' protesteerde streepjespak. 'Het is je toch niet naar je bol gestegen? Gedraag je als een tienjarige. Dan zul je zien dat je me binnen twee weken weer nodig hebt.'

'Als dat zo is, hoor je het van me,' zei ik. Voor het eerst werd de Raban in de spiegel zenuwachtig.

'Je bent ondankbaar, weet je dat?' zei hij dreigend. 'Ik heb je wakker geschud. Je kunt nog veel van me leren.'

'Dat meen je niet,' zei ik nu verbaasd. 'Je bent dus in alles beter dan ik?'

'Bingo. Je snapt het!' trompetterde het spiegelspook. Hij trok zijn streepjespak recht alsof hij er daardoor groter en belangrijker uit zou gaan zien.

'Oké! Jij wedt toch graag?'

'Ja, en ik win altijd!' schepte de Raban in de spiegel nu op.

'Goed. Dan wedden we toch? Zullen we erom wedden dat jij je streepjespak tegen mijn Spiderman-pyjama inruilt en voor altijd verdwijnt? Of in elk geval totdat ik je nodig heb en je roep? Stel dat dat ooit het geval zou zijn?'

'Maar wat doe je als je de weddenschap verliest? En hoe wedden we eigenlijk? Wil je misschien tegen mij voetballen?'

Ik grijnsde alleen maar. 'Als ik verlies mag je mij voor altijd en eeuwig op mijn zenuwen werken, wanneer je maar wilt.'

'Oké, afgesproken!' zei het spiegelspook al bijna boosaardig. Hij verheugde zich er blijkbaar erg op mij in de toekomst op mijn zenuwen te gaan werken. 'En hoe loopt de weddenschap nu af?'

'We gaan elkaar een beetje uitschelden. Dat kun je toch, of niet?' vroeg ik. 'Netjes om de beurt. Als de ander even niets weet en geen antwoord vindt, heeft hij verloren.'

'Goed! Afgesproken! En als je er niets op tegen hebt, begin ik nu meteen.' De Raban in de spiegel haalde adem en knetterde erop los: 'Je bent een hazelworm met platvoeten, weet je dat?' Hij keek me triomfantelijk aan.

'En jij bent een kakelende kameel!' antwoordde ik direct. Ik verraste hem, dat was duidelijk.

'Liever een kakelende kameel...' zei het spiegelspook extra langzaam. Hij probeerde tijd te winnen om na te kunnen denken. '...dan een oerstomme brillenkop.'

Hij lachte zich bijna dood, maar ik was niet onder de indruk.

'IJdeltuit! Geroskamde pauwenstaart!' beantwoordde ik zijn uitdaging zacht maar vastbesloten.

Nu slikte het spiegelspook en hapte naar lucht.

'Zevenvoudig kampioen in het omgooien van emmers water,' siste hij. Hij dacht zo weer aan de winnende hand te zijn. Daar leek het even op want er schoot me niets te binnen. Maar toen was het er.

'Zigzagplassende huismeester van een zandkasteel!'

Die zat. Het spiegelspook kokhalsde, rochelde en liep trappelend van ongeduld heen en weer. Hij gaf geen kik meer. Na een poosje hoorde ik hem mompelen. Voordat hij, net als de rest van de kamer, in flarden mist verdween, kon ik zien dat het spiegelspook mijn nieuwe Spiderman-pyjama aanhad.

Ik leunde grijnzend in de kussens, zette mijn bril op en keek uit het raam. Het sneeuwde. Wat er tot het voorjaar gebeuren zou, kon ik niet weten. Dat wist niemand van ons. Maar ik durfde mijn voeten ervoor in het vuur te steken dat het de beste winter zou worden die er voor een lid van de Wilde Voetbalbende bestond.

EINDE VAN DEEL 6

Joachim Masannek werd in 1960 geboren. Hij studeerde Duits en filosofie en daarna studeerde hij aan de Hogeschool voor Film en Televisie. Hij werkte als cameraman en schreef draaiboeken voor films en tv-programma's. En hij is trainer van de échte Wilde Voetbalbende, en vader van voetballers Leon en Marlon.

Jan Birck werd geboren in 1963. Hij is illustrator, striptekenaar en artdirector voor reclame, animatiefilms en cd-roms. Met zijn vrouw Mumi en hun voetballende zoons Timo en Finn woont hij afwisselend in München (Duitsland) en Florida (Verenigde Staten).

Alles is cool zolang je maar wild bent!

Lees ook de andere boeken over de Wilde Voetbalbende:

Joachim Masannek
DE WILDE VOETBAL BENDE
FABIAN
de snelste rechtsbuiten ter wereld

Joachim Masannek
DE WILDE VOETBAL BENDE
JOSJE
het geheime wapen

Joachim Masannek
DE WILDE VOETBAL BENDE
MARLON
de nummer 10

Joachim Masannek
DE WILDE VOETBAL BENDE
JOJO
die met de zon danst

Joachim Masannek
DE WILDE
VOETBAL
BENDE
ROCCO
de tovenaar

Joachim Masannek
DE WILDE
VOETBAL
BENDE
MARC
de onbedwingbare